# これから
# レポート・卒論を書く
# 若者のために

第2版

酒井 聡樹 著

大改訂

共立出版

|JCOPY| <出版者著作権管理機構委託出版物>

本書の無断複製は著作権法上での例外を除き禁じられています．複製される場合は，そのつど事前に，出版者著作権管理機構（ＴＥＬ：03-5244-5088，ＦＡＸ：03-5244-5089，e-mail：info@jcopy.or.jp）の許諾を得てください．

# はじめに

**本**書は、これからレポート・卒論を書く若者のための本である。こうした文書を書いたことがない若者や、書こうと思って苦しんでいる若者のための入門書だ。理系文系は問わない。どんな分野にも通じるように書いた。

**み**なさんはおそらく、小学校・中学校・高校の国語の時間に作文や感想文をたくさん書いてきたであろう。そして大学に入って突然、レポートや卒論なるものの提出を求められるようになったに違いない。ところが、高校までの作文・感想文のつもりでレポート・卒論を書くと、とんでもない失敗をすることになる。レポート・卒論は、作文・感想文とはまったく異なるからだ。

**良**いレポート・卒論を書くためにはまず、レポート・卒論とは何かを知ることが大切である。どういうことを書くことを求められているのか。どういう心構えをもって書くべきなのか。そして次に、レポート・卒論を書くために必要なことを学ぶ必要がある。序論・本論・結論等で書くべきこと。読者を説得するために必要なこと。などなど、知っておかなくてはいけないことがたくさんあるのだ。むろん、わかりやすい文章を書くための技術も身につけなくてはいけない。

**本**書には、こうしたことをすべて書いている。つまり、これからレポート・卒論を書く若者にとって必要なことをすべて書いた本である。本書はきっと、レポート・卒論を書くために役立つと信じている。

**私**は、東北大学の准教授であり、生態学（生物学の1分野）の研究者である。自分の専門分野の論文を書いてきたし、学生の論文執筆指

はじめに

導もしてきた。この経験を元に、2002年に、『これから論文を書く若者のために』という本を書いた（2015年に究極の大改訂版を出した）。これは、大学院生や若手研究者を対象に、学術雑誌に掲載する論文を書く技術を解説した本である。2004年からは、東北大学の全学部（理・医・歯・薬・工・農・文・教・法・経）の1年生を対象に、レポート作成法を講義している。この講義の受講生は、自由課題のレポートを半年かけて執筆し提出する。この講義（および学生が提出したレポート）を通して私は、レポートの書き方に関していろいろ考えることができた。そして、これまでに培ったことを本にしようと思った。専門分野の論文執筆から学んだことで、レポート・卒論の執筆に活かせること。レポート作成法の講義を通して学んだこと。それらをすべて本書に書いた。

本書では、東北大学の学生が書いたレポートを多数紹介している。これらはみな、上記講義の課題として提出されたものである。レポートの紹介にあたっては、書いた当人の許可を得るようにした。「東北大レポートより」とあるものは、許可を得たレポートである。しかし、連絡を取れなかった学生も多い。そういう場合は、そのレポートを元に私が創作をした。それらには、「東北大レポートを元に創作」と記している。

本書の解説は、例を用いてできるだけ具体的に行う。取り上げる例は、サッカー日本代表を題材とした架空のレポート・卒論と、東北大学の学生が提出したレポート（あるいは、それを元に私が創作したもの）である。日本代表のレポートは、「なぜ、日本代表は強いのか？」と問題提起し、「寿司を食べているからである」と解答するものである。「本当か？」などと突っ込まず、素直に信じていただきたい。

## 本書の構成

本書は4部構成である。第1部では、レポート・卒論とは何かを解説する。高校までに書いていた作文とはいかに違うのかを知って欲しい。第2部は、研究の進め方の解説である。何らかの学術的問題について研究し、その成果をレポート・卒論にする場合に参考にして欲しい。第3

部は本書の核となる部分である。レポート・卒論を書くために必要なことすべてを解説している。ここを読めば、レポート・卒論の各章で何を書くべきなのか、どのように書くべきなのかがわかるはずである。第4部は文章技術の解説である。わかりやすい文章を書くために必要な技術を徹底的に解説している。

## 本書が対象とする読者

　**本**書が対象とする主な読者は、「これからレポート・卒論を書く若者」である。具体的には、次のような人たちを想定している。

- これからレポートを書こうとしている学部生。理系文系は問わない。
　…レポートとは何なのかを知り、学術的価値のあるレポートを書くように頑張って欲しい。
- これから卒論を書こうとしている学部生。やはり、理系文系は問わない。
　…卒論はまさに学術論文であり、レポートより一段上の存在である。本書の内容が、卒論を書く上で役立つことを切に願っている。
- 学生のレポート・卒論書きを指導する側の人々。
　…教える側の理論武装の1つとして本書を役立てて欲しい。

## さらなる高みへ

　**大**学院に進もうと考えている方へ。大学院は、学術的な研究を行うところである。そして、あなたの研究成果を、論文として学術雑誌に発表することが使命となる。その執筆は、レポート・卒論の執筆よりもはるかに大変だ。しかし臆することなく挑んで欲しい。

　**大**学院では、以下の本が役に立つと思う。

酒井　聡樹（2015）『これから論文を書く若者のために：究極の大改訂版』共立出版

## はじめに

本書の姉妹書であり、学術雑誌に発表する論文の書き方を解説した本である。

**学** 会において研究発表をする場合は、プレゼンテーションの技術を身につける必要もある。下記の本はその技術を徹底解説している。

酒井 聡樹（2008）『これから学会発表する若者のために：ポスターと口頭のプレゼン技術』共立出版

卒論やレポートの内容を発表する場合にももちろん役立つはずである。

### 第2版に向けての言葉

**本** 書初版の出版は2007年であった。出版以降も私は、レポート・論文執筆に関してさまざまな経験と思考を重ねてきた。そして、新たに培ったものを世に送るべく、本書を改訂することにした。

**第** 2版では、説明の内容と説明の仕方を大幅に練り直している。たとえば、ほとんどの章の冒頭に要点をまとめたものを置き、大切な部分がすぐに理解できるようにした。例の説明では、良い例・悪い例・良い例をわざと改悪した例・悪い例を改善した例を示し、どこに問題があるのかが明確になるようにした。どちらかというと卒論よりだった初版に比べ、大学で書くであろうあらゆるレポートに役立つようにもした。第2版は、**レポート・卒論の書き方に関しての私の到達点**と思えるものである。

**改** 訂部分を記しておく。

### 新たに書き加えた部分
・第2部第3章　文献検索の仕方

### 大改訂した部分
・第1部第1章　レポート・卒論とは何か
・第3部第1章　レポート・卒論の構成

- 第3部第2章　構想の練り方
- 第3部第4章　序論の書き方
- 第3部第5章　タイトルの付け方
- 第3部第7章　結果の説明の仕方
- 第3部第8章　考察の進め方
- 第3部第9章　結論を書く上での注意事項
- 第3部第10章　引用文献と参考文献
- 第3部第12章　要旨の書き方
- 第4部第2章　文章全体としてわかりやすくする技術
- 第4部第3章　1つ1つの文をわかりやすくする技術

## 中改訂した部分

- 第2部第1章　取り組む問題の決め方
- 第2部第2章　研究の進め方
- 第3部第11章　図表の提示の仕方
- 第4部第1章　わかりやすい文章とは

## 小改訂した部分

- 第1部第2章　なぜ、レポート・卒論を書くのか
- 第1部第3章　わかりやすいレポート・卒論を書こう
- 第3部第3章　説得力のある主張とは
- 第3部第6章　研究方法の説明の仕方

## 謝辞

　本書を書く上で、以下の方々にお世話になった。篤くお礼申し上げる。

- 竹中　明夫さん・牧野　崇司さん・酒井　暁子さんには、本書初版の原稿を読んでいただいた。伊藤　雅哉さん・青柳　優太さん・中野　沙耶さん・信沢　孝一さん・山内　千尋さん・大谷　早紀さんには第2版の原稿を読んでいただいた。皆様のコメントのおかげで、原稿はずいぶんと良

はじめに

くなったと思う。
- 「倒れた隣家の庭木」という文の問題点（第4部3.3.4項；p.226）は、牧野 崇司さんが指摘したものである。この問題点について考えることが、第4部第3章を書く1つの動機となった。
- 三中 信宏さんは、説得力のある主張とはどういうものなのかご教示下さった。
- 佐藤 初美さんは、本書初版の執筆に関して色々お手伝い下さった。
- 共立出版の信沢 孝一さん・山内 千尋さん・大谷 早紀さんは、本書出版のために色々とお骨折り下さった。
- 東北大学理学部生物学科の学生――青柳 優太さん・伊藤 雅哉さん・小山 有夢さん・川野辺 悠馬さん・木下 理子さん・小林 紘努さん・下野谷 涼子さん・武田 精一郎さん・玉木 恵さん・中野 沙耶さん・吉田 直史さん――は表紙のモデルになってくれた。オリンピックの決勝に挑むU23日本代表のイメージである。
- 板垣 智之さん・松橋 彩衣子さん・松原 豊さん・岡 千尋さん・若林 加枝さん・川邊 瑞穂さん・星 広太さん・松本 洋平さん・望月 潤さん・中軽米 聖花さん・桑田 清史さん・古川 知代さん・赤池 翔さん・岩本 論さん・内山 智尋さん・大石 雄太さん・小野 喬亮さん・小野寺 静さん・竹重 龍一さん・長谷川 拓也さん・柴田 嶺さん・青木 淳子さんおよび表紙モデルの11人には、表紙図案に関して意見を頂いた。

　**本**書では、解答レポート・説明レポート・卒論という3つのものの書き方を説明している（**要点1参照**；p.2）。このうちのどれかだけを書く場合には、本書すべてを読む必要はない。目次および章冒頭に、読みとばしてよい部分を以下の印で示している。

㋵：説明レポートを書く場合は読みとばしてよい
㋕：解答レポートを書く場合は読みとばしてよい
㋞：卒論を書く場合は読みとばしてよい

# 目 次

## 第1部　レポート・卒論を書く前に

### 第1章　レポート・卒論とは何か　*2*
1.1　レポート・卒論は学術文書である　*2*
1.2　レポートの種類と目的　*4*
 1.2.1　学術的・社会的問題を提起し、それに解答するレポート　*4*
 1.2.2　学術的・社会的事柄を取り上げ、それについて説明するレポート　*5*
1.3　解答レポートのあり方 ㊟　*6*
 1.3.1　調べただけのレポート　*6*
 1.3.2　良いレポートの例　*7*
1.4　卒論とは ㊟㊙　*11*
1.5　レポート・卒論の読者　*13*

### 第2章　なぜ、レポート・卒論を書くのか　*14*
2.1　問題提起する能力を養う　*14*
2.2　問題に対して解答する能力を養う　*15*
2.3　取り組んだ問題に関する知識・理解・考えを深める　*16*
2.4　学術論文やビジネス文書などを書くための文章力を養う　*17*
2.5　これらに加え卒論では ㊟㊙　*17*

### 第3章　わかりやすいレポート・卒論を書こう　*18*
3.1　レポート・卒論は、読者にわかってもらうために書く　*18*

目 次

　　3.2　わかりやすいレポート・卒論を書くために大切なこと　20
　　　3.2.1　わかりやすくしようという意識を持つ　20
　　　3.2.2　読者を想定する　20

## 第2部　研究の進め方

### 第1章　取り組む問題の決め方 ㊕ 24
　1.1　取り組むべき問題の条件　24
　　1.1.1　あなたが面白いと思う　24
　　1.1.2　役に立つ、または知的好奇心をそそる　25
　　1.1.3　多くの人がその解答を知りたくなる　25
　　1.1.4　部分的にせよ解答できる　26
　1.2　取り組む問題の見つけ方　27

### 第2章　研究の進め方 ㊕ 28
　2.1　仮説を立て、それを検証する　28
　　2.1.1　仮説とは何か　28
　　2.1.2　どうして仮説を立てるのか　29
　2.2　研究を進める手順　30
　2.3　次に繋げることも大切　32

### 第3章　文献検索の仕方　34
　3.1　利用すべき文献媒体　34
　　3.1.1　論文　34
　　3.1.2　書籍　35
　　3.1.3　インターネットのサイト　35
　3.2　文献検索の方法　36

## 第3部　レポート・卒論の書き方

### 第1章　レポート・卒論の構成　40

- 1.1 基本的な構成 40
- 1.2 本論の構成 41
  - 1.2.1 自分でデータを取ったり解析したりした場合 42
  - 1.2.2 それ以外の場合 43
- 1.3 章立てをしよう 43

## 第 2 章　構想の練り方 45

- 2.1 得られたデータ・事実を元に、結論およびそれを導く論理を定める 45
- 2.2 結論に対応するよう、取り組む問題を決め直す 46
- 2.3 話の流れを作る 47

## 第 3 章　説得力のある主張とは 50

- 3.1 そう主張する理由を述べている 51
- 3.2 理由は、確かなデータ・事実に基づいている 52
- 3.3 理由は論理的である 54
  - 3.3.1 論理的に成り立つ主張をしている 54
  - 3.3.2 その主張が否定される可能性も検討している 55
- 3.4 他の仮説と比較して、その仮説の方が確からしいといえる 57
- 3.5 確かな主張と推測とを区別する 57

## 第 4 章　序論の書き方 59

- 4.1 序論では何を書くべきなのか 60
  - 4.1.1 どうしてやるのかを説得する 60
  - 4.1.2 どうしてやるのかの説得のために必要な情報 (説) 61
- 4.2 序論の5つの骨子 (説) 63
- 4.3 悪い序論の例 (説) 70
  - 4.3.1 序論がない 70
  - 4.3.2 取り組む問題を述べていない 73
  - 4.3.3 その問題に取り組む理由を述べていない 75
  - 4.3.4 興味・関心を抱いたから／わかっていないからやるのか 77

4.3.5　問題解決のための着眼を述べていない　*82*
　　　4.3.6　問題解決のために何をやるのかを述べていない　*85*
　4.4　説得力のある序論にするために ㊥　*87*
　　　4.4.1　序論の骨子の練り方　*87*
　　　4.4.2　その問題に取り組む理由を説得するために　*90*
　4.5　説明レポートの序論 ㊩㊪　*93*
　　　4.5.1　序論は必要　*93*
　　　4.5.2　どうしてやるのかの説得のために必要な情報　*94*
　　　4.5.3　序論の3つの骨子　*95*
　　　4.5.4　悪い序論の例　*97*
　　　4.5.5　例外的な序論　*99*

## 第5章　タイトルの付け方　*101*

　5.1　良いタイトルを付けよう　*102*
　5.2　良いタイトルとは　*102*
　5.3　良いタイトルの付け方：解答レポート・卒論の場合 ㊥　*103*
　　　5.3.1　タイトルに入れる情報　*103*
　　　5.3.2　良いタイトルの例　*105*
　　　5.3.3　悪いタイトルの例　*106*
　　　5.3.4　より良いタイトルにするコツ　*113*
　5.4　良いタイトルの付け方：説明レポートの場合 ㊩㊪　*113*
　　　5.4.1　説明対象および結論的なことを述べる　*114*
　　　5.4.2　どういうことを説明するのかを短くまとめる　*115*
　　　5.4.3　何について説明するのかを示すだけでは駄目　*116*

## 第6章　研究方法の説明の仕方 ㊥　*117*

　6.1　研究方法の説明を書く目的　*118*
　　　6.1.1　研究方法が適切であることを示す　*118*
　　　6.1.2　読者が研究を再現できるようにする　*118*
　　　6.1.3　研究方法を的確に理解していることを示す　*119*
　6.2　読者に示すべき情報　*119*

6.2.1 研究対象 *121*
6.2.2 実験・調査の狙い *121*
6.2.3 実験・調査の方法 *122*
6.2.4 データ解析の方法 *122*
6.2.5 複数の実験・調査を行ったとき *123*

## 第 7 章　結果の説明の仕方 ㊅ *124*

7.1 結果の章を書く上で心がけること *125*
7.2 結果の章で書くこと *125*
 7.2.1 わかりやすい形にまとめたデータ等 *126*
 7.2.2 解析結果の説明 *126*
 7.2.3 結果のまとめ *126*
7.3 各項目の書き方 *127*
 7.3.1 結果のまとめが必要な場合 *127*
 7.3.2 結果のまとめが不要な場合 *130*
7.4 結果の章で書くべきではないこと *131*
 7.4.1 研究方法の説明をしない *131*
 7.4.2 結果の解釈をしない *132*
7.5 複数の結果を示すときの提示順 *133*

## 第 8 章　考察の進め方 *134*

8.1 考察の章を書く目的 *134*
8.2 考察の章の構成 ㊅ *134*
8.3 考察の章で書くこと ㊅ *135*
 8.3.1 問題解決のためにやったことの結果の検討と、取り組んだ問題への解答 *136*
 8.3.2 その問題に取り組んだ理由への応え *140*
 8.3.3 今後の発展 *142*
8.4 各項目を書く順番 ㊅ *143*
 8.4.1 結論を冒頭に書く *144*

xiii

目 次

   8.4.2 問題解決のためにやったことの結果の検討を先にする *144*

 8.5 考察の章を書くときの注意事項 ㊝ *146*

   8.5.1 結果の章で提示したすべてのデータ等を使って議論する *147*

   8.5.2 結果をまとめた「短い言葉」を使って議論する *147*

   8.5.3 図表を引用しながら議論する *148*

   8.5.4 仮説を支える上で不十分な点も述べる *148*

 8.6 説明レポートの考察の章（本論）で書くこと ㊝㊝ *149*

## 第 *9* 章 結論を書く上での注意事項 ㊝ *152*

 9.1 結論とは何か *152*

 9.2 結論を明確に *152*

 9.3 序論での問題提起に答える *153*

 9.4 まとめは結論にあらず *154*

## 第 *10* 章 引用文献と参考文献 *157*

 10.1 引用文献・参考文献とは *158*

 10.2 引用文献の引用の仕方 *159*

   10.2.1 記述をそのまま紹介 *159*

   10.2.2 引用者の言葉で紹介 *161*

 10.3 本文中における、引用文献情報の示し方 *163*

   10.3.1 著者の苗字または組織名と、発表年とを示す *164*

   10.3.2 引用部分に通し番号を添える *165*

 10.4 文献を引用するときに気をつけること *167*

   10.4.1 正確に引用する *167*

   10.4.2 引用であることを明示する *168*

   10.4.3 ウェブサイトの記述を引用しない *168*

 10.5 参考文献についての注意事項 *169*

 10.6 引用文献・参考文献のリスト *170*

   10.6.1 リスト中における、著者名の表記の仕方 *170*

10.6.2　引用文献・参考文献に付すべき情報　*170*

　　　10.6.3　引用文献・参考文献の並べ方　*172*

第*11*章　図表の提示の仕方　*175*

　11.1　図表にすべきもの　*176*

　11.2　図にするべきか、表にするべきか　*177*

　11.3　図表およびその説明文を見ればわかるようにする　*180*

　　　11.3.1　「タイトル＋補足説明」という形の説明文を付ける
　　　　　　　*180*

　　　11.3.2　軸名・単位を必ず書く　*180*

　11.4　図表を載せる場所　*181*

　11.5　図を作る上での注意事項　*181*

　　　11.5.1　区別のつきやすい記号・線にする　*181*

　　　11.5.2　説明変数を横軸に、目的変数を縦軸にする　*182*

　　　11.5.3　比較が目的の関連データは1つの図にし、それ以外の
　　　　　　　関連データは別々の図にして側に並べる　*183*

　11.6　表を作る上での注意事項　*186*

　　　11.6.1　データ組みの各要素を横方向に並べ、各データ組みを
　　　　　　　縦に積み重ねる　*186*

　　　11.6.2　関連するデータはすべて1つの表に組み込む　*187*

第*12*章　要旨の書き方　説　解　*188*

　12.1　良い要旨とは　*189*

　12.2　要旨は、本文が完成してから書く　*189*

　12.3　要旨で書くべきこと　*189*

　12.4　わかりにくい要旨　*191*

　　　12.4.1　取り組む問題が不明　*191*

　　　12.4.2　問題解決のためにやったことが不明　*191*

　　　12.4.3　結論が不明　*192*

目　次

# 第4部　日本語の文章技術

## 第1章　わかりやすい文章とは　*196*
### 1.1　文章の理解とは　*196*
#### 1.1.1　知らないことは理解できない　*196*
#### 1.1.2　筋の通らないことは理解できない　*197*
### 1.2　わかりやすい文章とは　*198*

## 第2章　文章全体としてわかりやすくする技術　*200*
### 2.1　無駄な情報を削る　*201*
### 2.2　1度に1つの話題だけを扱う　*202*
#### 2.2.1　1つの段落では1つの話題だけを扱う　*202*
#### 2.2.2　1つの章では1つの大きな話題だけを扱う　*204*
### 2.3　何の話をするのかを前もって知らせる　*204*
#### 2.3.1　見出しをつける　*205*
#### 2.3.2　段落の書き出しの1文で主題を明示する　*206*
#### 2.3.3　全体像を述べてから細部を述べる　*208*
#### 2.3.4　次に来る文の位置づけを教える　*209*
### 2.4　文から文への話題の繋がりを明確にする　*210*
### 2.5　重要なことから述べる　*212*

## 第3章　1つ1つの文をわかりやすくする技術　*214*
### 3.1　1つの文で1つのことだけを言う　*216*
#### 3.1.1　1文に1情報を守るべき理由　*216*
#### 3.1.2　1文に1情報にするコツ　*218*
### 3.2　語順：重要な要素を先にする　*223*
#### 3.2.1　通常は、その文で扱う話題を先にする　*223*
#### 3.2.2　扱う話題を読者がわかっている場合は、その話題の下での主張を先にする　*224*
### 3.3　語と語との修飾関係：わかりにくい原因　*225*
#### 3.3.1　わかりやすい修飾関係とわかりにくい修飾関係　*225*

3.3.2　わかりやすい修飾関係：それぞれの語が１つの語を修飾している　*226*

　　　3.3.3　わかりにくい修飾関係：ある語が修飾している語を見つけにくい　*227*

　　　3.3.4　わかりにくい修飾関係：１つの語が複数の語を修飾してしまう　*230*

　3.4　語と語との修飾関係：明確にする技術　*231*

　　　3.4.1　長い修飾語を先に、短い修飾語を後に：修飾する語を見つけやすくする　*232*

　　　3.4.2　短い修飾語を先にするとき、その後ろにテンをうつ：修飾する語を見つけやすくする　*234*

　　　3.4.3　長い修飾語の後に長めに文が続くとき、その長い修飾語の後にテンをうつ：修飾する語を見つけやすくする　*236*

　　　3.4.4　意図せぬ修飾関係を生まないように配置：複数の語を修飾しないようにする　*238*

　　　3.4.5　修飾関係を断ち切りたいとき、そこにテンをうつ：複数の語を修飾しないようにする　*240*

　3.5　漢字とカナの混じり具合　*243*

# 要点目次

要点 1　レポート・卒論の種類と目的　*2*
要点 2　レポート・卒論を書く目的　*14*
要点 3　取り組む問題の条件　*24*
要点 4　研究の進め方　*30*
要点 5　構想の練り方　*45*
要点 6　説得力のある主張とは　*51*
要点 7　序論で書くべきこと　*60*
要点 8　良いタイトルの付け方　*101*
要点 9　研究方法を説明する章の書き方　*117*
要点10　結果の章の書き方　*124*
要点11　考察の章で書くこと　*135*
要点12　考察の各項目を書く順番　*143*
要点13　考察の章を書くときの注意事項　*146*
要点14　説明レポートの考察の章（本論）で書くこと　*149*
要点15　結論を書く上での注意事項　*152*
要点16　引用文献と参考文献　*157*
要点17　図表の提示の仕方　*175*
要点18　要旨の書き方　*188*
要点19　文章全体としてわかりやすくする技術　*200*
要点20　文がわかりにくい原因　*214*
要点21　1つ1つの文をわかりやすくする技術　*215*
要点22　わかりやすい文にする手順　*216*

# 第1部
# レポート・卒論を書く前に

第1部では、レポート・卒論を書く前に心得て欲しいことを説明する。そもそも、レポートとは何なのか、卒論とは何なのか。これらを理解することはとても大切だ。なぜ、レポート・卒論を書くのかについても考えていく。そして、わかりやすいレポート・卒論を書くことの大切さも訴えたい。

# 第1章
# レポート・卒論とは何か

　良いレポート・卒論を書くためには、レポート・卒論とは何かを知ることが非常に大切である。これを知らずにレポート・卒論を書くと、レポート・卒論とは言えない代物を提出してしまうことになる。本章では、レポート・卒論とは何かを解説したい。レポート・卒論の種類と目的についても説明しておく。

> **要点1**
> **レポート・卒論の種類と目的**
> 1. 解答レポート
>    ◇ 学術的・社会的問題を提起し、それに解答する
>    ◇ 人類にとって未解決の問題か、大学生の知識では未知の問題に取り組む
> 2. 説明レポート
>    ◇ 学術的・社会的事柄を取り上げ、それについて説明する
> 3. 卒業論文
>    ◇ 学術的・社会的問題を提起し、それに解答する
>    ◇ 人類にとって未解決の問題に取り組む

## 1.1　レポート・卒論は学術文書である

　レポート・卒論は学術文書である。つまり、**学術的・社会的な問題・事柄を扱う**。ある学問分野において解決が望まれている問題や重要とされる

事柄、あるいは、社会的に重要視されている問題や事柄を扱うのがレポート・卒論である。このことを、まず初めにしっかりと認識して欲しい。レポート・卒論は、小中高の国語の時間に書いたような**感想文や作文ではない**のだ。学術文書と言えないものは、レポート・卒論として認められない。

では、学術文書とは言えないものとはどんなものか。例を見てみよう。

まずは、個人的な問題を書いている例である。

---

**例1　自分の生き方**

　私は、「自分の生き方」と題してレポートを書く。私は、人を幸せにする仕事に就きたいと思って大学に入った。自分の入学動機を再確認することを目指して、このレポートを書いていきたい。

（東北大レポートを元に創作）

---

入学動機の再確認は、書き手にとっての個人的な問題でしかない。どこにも学術性・社会性はない。これでは、国語の時間の作文である。

学術的・社会的問題になりうることを扱っていても、個人の思いを書き連ねるだけでは、学術文書とは言えないものになってしまう。

---

**例2　私の野望・・・交通事故撲滅**

　私は、世の中の交通事故を撲滅させる方法を提案したいと思います。

　私の将来の夢は交通事故を減らす活動をすることです。大学で法律を学び、卒業時に国家公務員試験に優秀な成績で合格し、中央官庁の警察庁か国土交通省に就職してある案の実現を図ることが私の現在の野望なのです。

　その案というのはいくつか考えていて、①日本全国の全ての信号機にスピードメーターやカメラを設置し、スピード違反を始め全ての道路交通法違反車両を監視・取締りをする、②自転車のオートライトを義務化、③改造パーツを扱う店を取り締まったり、暴走行為には手荒い手段による確保を可能にする法律を取り入れることです。

（略）

　私は今後大学で、希望官庁に採用されるよう勉強を怠らず、またこの荒削

りな案に現実性をもたせるよう努力していきたいと思います。

(東北大レポートより)

「交通事故を撲滅させる」ことは学術的・社会的問題である。しかし、「警察庁か国土交通省に就職してある案の実現を図ることが私の現在の野望」というのは個人の思いでしかない。それに続く文章も、交通事故をなくすための学術的な検討とは言い難いものである。残念ながら、国語の時間の作文の域を出ていない。

このように、いくら一所懸命に書いても、学術と言えないものは駄目である。「学術文書となっているか」という問いかけを忘れないで欲しい。学術となっているレポートの例としては、1.3.2項（p.7）のものを参照して欲しい。

ではなぜ、学術文書であることを求められるのか。それは、書き手の学術的能力を鍛えることや学術の進歩に貢献することが、レポート・卒論執筆の目的だからである（詳しくは第2章参照；p.14）。ならば当然、実際の学術的・社会的な問題・事柄を扱い、実践的な訓練をするべきである。

## 1.2　レポートの種類と目的

学術的・社会的な問題・事柄の扱い方は、レポートと卒論とで異なる。レポートも、扱い方で2種類に分けることができる。本節ではまず、レポートに絞って、その種類と目的（**要点1**；p.2）を説明しておく。

### 1.2.1　学術的・社会的問題を提起し、それに解答するレポート

レポートの1つ目は、何らかの学術的・社会的問題を提起し、それに解答することが目的のものである。本書ではこれを**解答レポート**と呼ぶことにする。学術的・社会的問題に解答するために、実験・調査・文献精読などを行う。そして、それらに基づき論理展開をし、結論すなわち問題に対する解答を示す。たとえば、「なぜ、サッカー日本代表は強いのか？」と

いう問題を提起し、実験・調査等を行って、「寿司を食べているから」と結論する。「統合失調症の病因は何か？」という問題を提起し、実験・文献精読等を行って、「遺伝的要因が大きい」と結論する。

　取り組む問題は、人類にとって未解決のものでもよいし、実は解決しているのだけれど、大学生の知識では未知のものでもよい。人類にとって未解決を必須とはしない。なぜならば、レポートを書く目的は、学術の進歩に貢献することではなく、書き手の学術的能力を鍛えることにあるからである（第2章参照；p.14）。あなたにとっては未知の問題ならば（人類にとっては解決済みの問題であっても）、学術能力を鍛える訓練になる。だから、こうした問題にも、人類にとって未解決の問題に挑むつもりで積極的に取り組めばよい。

　ただし、取り組む問題は、あなたが興味・関心を抱いていることならば何でもよいわけではない。学術的・社会的に意義のあるものでないといけないのだ（詳しくは第3部第4章参照；p.59）。そうでないと、学術文書とはなりえない。だから、興味・関心を抱いたというだけでその問題に取り組むのは駄目である（第3部4.3.4項参照；p.77）。そうしたものは、例1，2（p.3）のような国語の作文になってしまう。

## 1.2.2　学術的・社会的事柄を取り上げ、それについて説明するレポート

　レポートの2つ目は、何らかの学術的・社会的事柄について、その内容を説明することが目的のものである。本書ではこれを**説明レポート**と呼ぶことにする。たとえば、「日本代表の強さの特徴を説明せよ」という課題に対して、「強さの特徴は3つある。第1に……」と説明する。「統合失調症について説明せよ」という課題に対して、「統合失調症は精神疾患の1つであり、……」と説明する。その課題についていかに的確に理解しているのかを示すことが目的である。

## 1.3 解答レポートのあり方 ㊂

　本節では、解答レポートに絞って、そのあり方について改めて説明する。このレポートでは、何らかの学術的・社会的な問題を提示し、それに対して解答する（要点1；p.2）。だから必ず、**取り組む問題とそれに対する解答（結論）**がなくてはならない。すなわち、以下のことを行う必要がある。

---

1. 学術的・社会的な問題を提起する。
2. 実験・調査・文献精読等を行う。
3. これらに基づき論理展開する。
4. 提起した問題に対する解答を示す。

---

本節ではまず、これができていない典型例を紹介する。ついで、良い例を紹介したい。

### 1.3.1 調べただけのレポート

　悪いレポートの典型は、何らかの問題に取り組むことなく、ただひたすら調べただけというものである。
　例で見てみよう。

---

**例3　電波の歴史と簡易放送機の制作**

今の我々はラジオ、テレビ受信・携帯電話・無線通信など、生活において電波の恩恵を大いに受けている。
しかしこのように便利な電波も、先人たちの努力により、技術進歩を続けて来た。ここで、電波が作られた歴史について調べてみることにする。

■ヘルツの送信機と受信機

（略；その説明をしている）
■ **ドイツの物理学者ヘルツについて**
（略；その説明をしている）
■ **検波器『コヒーラ』の登場**
（以下略。似たような説明が続く）

（東北大レポートより）

このレポートは、電波に関する何らかの学術的・社会的問題に取り組んでいるわけではない。ただ、電波の歴史のことを調べただけである。これでは解答レポートになりえない（**要点1**；p.2）。学術的・社会的問題に**解答するために調べる**のであって、調べること自体が目的ではないのだ。この例の場合は、電波に関する何らかの学術的・社会的問題を提起し、それに解答するために電波の歴史を調べ、そして問題に解答しないといけない。

### 1.3.2　良いレポートの例

　では、良いレポートの例を読んでみよう。前項で紹介したレポートとは全然違う印象を抱くはずである。

　なお以下の例ではいずれも、省略部分で引用されていた文献の提示は省略している。

---

**例4　日本人の宗教観〜日本における「無宗教」の意味〜**

**１．はじめに　《日本人は本当に「無宗教」なのか？》**
「あなたは宗教を持っていますか」という問いに対して、（略）大抵の日本人が「持っていない」と答えるだろう。（略）しかし（略）「これまでに神や仏にすがりたいと思ったことがありますか」（略）の問いに対し53.9%の人が「思ったことがある」と答え、「ない」と答えた44.2%を上回った（酒井による注：読売新聞によるアンケート結果）。（略）日本人は「無宗教」なのではなく、（略）自覚していないような形での「信仰」と「宗教」を持っているのではないか？（略）「日本人は無宗教」（略）という宗教観に疑問を発することで、現代日本人の宗教観を明らかにしようと思う。

## 2．事実と考察
《現代日本人の生活・慣習から見る宗教観》
(略) 墓参りは仏教行事である。墓参りに行くだけで仏教徒であるとは言いがたいであろう。しかしここに興味深い事実がある。
実は日本人以外に墓に水をかけるという習慣を持っている民族はほとんどいないということだ。(略) そこに無意識に先祖から受け継がれ、今に続いてきた日本人独自の宗教観が垣間見えた例といえる（酒井による注；日本独自の宗教観が存在し、それが仏教行事に取り入れられていると指摘している）。(略) この日本人独自の宗教観を阿満利麿氏は「自然宗教」と位置付けている。

《「創唱宗教」と「自然宗教」の違い》
「創唱宗教」とは特定の人物が特定の教義を唱えている (略) 宗教のことである（酒井による注；仏教・キリスト教など）。「自然宗教」とは (略) 自然発生的な宗教のことを指し、(略) 教祖、教典、教団を持たないもののことを言う。(略)

《「無宗教」にいたるまでの歴史的な歩み》
(略) 宗教を「創唱宗教」に限定しすぎて、多くの日本人にとって空気のようになっている「自然宗教」を宗教と認識することが難しくなり、そうして自らの生活や慣習と合わない「創唱宗教」を遠ざけるようになった（略）。「創唱宗教」だけを宗教とみなすようになったのには以下の要因が考えられる。
①明治以降の「天皇崇拝」の強制とその崩壊による影響
②また欧米文化偏重の影響によりキリスト教をモデルとする宗教観が広まり、その結果、日本人の生活に即した宗教論の展開が妨げられたこと
(略)

## 3．結論
(略)「日本人は宗教を持っていない」ということではなく、(略)「自然宗教」という形の内なる「宗教」を持っていると考える。(略)

参考文献：『日本人はなぜ無宗教なのか』阿満利麿　ちくま書房
『近代日本人の宗教意識』山折哲雄　岩波書店

（東北大レポートより）

「日本人は『無宗教』なの」かと問題提起し、「『自然宗教』という形の内なる『宗教』を持っている」と解答している。この結論を導く論理展開も説得力がある。

**例5　なぜ日本の学生は授業中に質問しないのか
自己抑制意識の影響を考える**
（酒井による注；上付きの番号は引用文献を示す
　　　　　　；省略した部分があるため、見出し番号が飛んでいる）

**1．はじめに**
　授業において学生が教師に質問すること（略）は、学生個人の理解を深めるだけではなく、教師や他の学生と疑問点を共有し、授業内容を深化させ議論を発展させる。（略）。
　しかし大手通信教育会社の調査で、日本の大学生で授業中に積極的に質問する学生は全体の22％に留まるという結果が報告されている[2]（略）。
　なぜ日本の学生は授業中に質問しないのか？
　質問行動は自己主張の1つといえる。日本では自己主張する人間は自己中心的であるとか周囲の調和への配慮が足りないなどとされてきた。無質問行動の背景には自己主張をしない、すなわち自己抑制しなければならないという日本人的意識が働いているのではないだろうか。
　本レポートでは学生が質問しない理由を過去の調査結果から検討し、その原因を他国との比較を交えた文化的側面から考察していく。

**2．学生の質問行動の分析**
**2.1　日本の学生の質問をしない心理的理由**
　はじめに、学生の無質問行動に関しての過去の調査結果を見ていく。
（略；無藤・久保・大嶋の研究[3]と藤井・山口の研究[4]を紹介）
　これらの結果より学生の無質問行動の心理的理由には、
理由1．学生は自分に対する周囲からの評価を気にするから。

理由2．学生は周囲の雰囲気を壊したくないから。
の二つがあると考えられる。
（略）

## 2.2　アメリカの授業での質問行動
　ではこのような傾向は外国では見られるのだろうか。（略）アメリカの高校の授業は生徒が自由に発言し、自己表現を進んでするらしい[5]。（略）

## 2.3　日本、アメリカの対人関係における自己主張観
　上記の違いの原因は何だろうか。（略；佐藤の研究[7]）
　以上のことから学生の質問行動にはその土地の対人関係への考え方・文化が影響していると考えられる。日本は自己抑制することに、アメリカは自己主張することに価値を置いている。（略）

## 4.2　自己抑制意識の学生への影響
　（略）日本における「いい子」とは、従順で、決まりに従い、行儀がよいことなどとされている[10]。（略）自分の意見をはっきり言える能力は教育上重要視されていないと考えられる。学生の無質問行動は自己抑制重視の教育を受けた影響の一端であるといえる。

## 5．結論
　（略）日本の学生が授業中に質問しないのは日本人的に無意識に自己抑制しているために人前で質問するのに強い抵抗感を感じるからである。学生の質問行動を促進するには、従来の日本人の価値観に沿った教育の中に、自己主張を促進するものを取り入れ、自己主張性と自己抑制性をバランスよく身につけられる環境づくりが必要であると考える。

引用文献（酒井による注；省略した文献があるため、文献番号が飛んでいる）：
[2]今どきの大学生像アンケ　授業出るけど議論イヤ「積極的質問」2割／民間調査．読売新聞．2009-04-04．東京朝刊．16頁　聞蔵Ⅱ for Libraries, http://database.asahi.com/library2/main/top.php, (参照 2016-06-12)
[3]無藤隆・久保ゆかり・大嶋百合子「学生はなぜ質問しないのか」『心理学評論』第23号、1980年、71-78頁．

[4] 藤井利江・山口裕幸「大学生の授業中の質問行動に関する研究：学生はなぜ授業中に質問しないのか？」『九州大学心理学研究』第4号、2003年、135-148頁。
[5] 米に2週間滞在、和光国際高3年の3人に聞く．朝日新聞．2015-06-09．朝刊．28頁
[7] 佐藤淑子『イギリスのいい子 日本のいい子』中央公論新社、2001年、9頁。
[10] 前掲（酒井による注；東洋『日本人のしつけと教育』東京大学出版会、1994年）『日本人のしつけと教育』、84頁。

（東北大レポートより）

このレポートでは、「なぜ日本の学生は授業中に質問しないのか？」と問題提起している。そして、論理展開の上、「日本人的に無意識に自己抑制しているため」と解答している。

　良い例として紹介した例はいずれも、何らかの問題に取り組み、データ・事実に基づいて論理展開し、問題に対する解答（結論）を示している。これらが揃うことで、解答レポートとして成立するのである。

## 1.4　卒論とは　説 解

　本節では、卒業論文とは何か（**要点1；p.2**）を説明する。
　卒論は、卒業研究の成果をまとめたものである。解答レポートと同様に、何らかの学術的・社会的問題を提起し、それに解答することが目的である。ただし、卒業論文はより高度でなくてはならない。卒業論文はまさに学術論文なのだ。
　では、「学術論文」とは何なのか。それは、以下の3つを兼ね備えた文書のことである。

[1]　**人類にとって未解決**の問題に取り組んでいる
[2]　その問題の解決を**多くの人**が望んでいる

## ③ その問題の解決に、何らかの**新しい貢献**をしている

　① 学術論文では必ず、人類にとって未解決の問題に取り組んでいないといけない。学問の進歩や社会問題の解決のために研究を行い、その成果を学術論文にするのだから、これは当然のことだ。未解決の問題に取り組むことを必須とする点が、解答レポートとの大きな相違点である。

　② その問題は、多くの人が解決を望んでいるものでなくてはいけない。たとえば、「好きな人がいて、その人と付き合いたい」という思いは、あなた個人にとっては未解決の大問題である。しかし、他の人にとっては問題とならない。だから、その解決法を他者に向けて発表する意味はない。これが、「恋をかなえる必勝テク」となれば、多くの人にとっても問題となる。よってこちらは、他者に向けて発表する価値がある。学術論文も同様だ。誰も興味を示さない問題に取り組んだ研究を、研究成果として学術論文にまとめる意味はない。多くの人が興味を持っている問題だからこそ、学術論文としてまとめる意味があるのである。もっとも、「何人以上が『多くの人』か」などという基準はない。「その学問分野の人が興味を示す問題か」と問いかけ、「はい」と答える自信があるなら、「多くの人」がその問題の解決を望んでいると思ってかまわない。

　③ 学術論文では、取り組んだ問題の解決に向けて新しい貢献をしていないといけない。全面解決でなくて部分的な解決でもよい。あるいは、解決のための土台を作るのでもよい。ともかく、何らかの新しい貢献が絶対に必要である。

　以上の3つが学術論文の条件である。この3つの条件は、卒論にもそのまま当てはまる。ただし、3つ目の条件は少し緩めたい。卒業研究生は経験も浅く、まだまだ未熟である。ほとんど何もわからない所から始めるというのに、学術の進歩に貢献する成果を出せと言われても困るだろう。だから卒論では、3つ目の条件を、「新しい貢献をしようという意識を持って臨むこと」に置き換えてよい。

## 1.5 レポート・卒論の読者

　本章の最後に、レポート・卒論の読者について説明しておく。実際のところ、レポート・卒論の読者は、提出を課した教員や審査をする教員達である。しかし、これらの人だけを読者として想定してはいけないのだ。

　卒論や、専門性の高い講義のレポートは、その学問分野の専門家（その分野を専攻する学生を含む）を読者層としよう。たとえば、生物学を専攻する学生を対象とした生物学の専門講義のレポートでは、生物学の専門家を読者層と考える。

　専門性の低い講義（一般教養の講義など）のレポートは、新聞等の学術記事欄の読者を対象としてイメージしよう。専門家ではないけれど、学術的・社会的問題に広く関心を寄せている人達である。たとえば、一般教養としての生物学の講義のレポートは、生物学の専門家ではないけれど、生物学にも関心を持ってくれる人々を読者層とする。

　こうすべき理由は、レポート・卒論を書く最大の目的が、あなたの学術的能力を高めることにあるからである（第 2 章参照；p.14）。レポート・卒論を課した教員相手だと、完成度の低いものであっても通じてしまいやすい。しかし、それ以外の読者に対してはそうはいかない。内容について推敲を重ね、レポート・卒論の完成度を高めなくてはいけない。この努力が、学術的能力を高めることに繋がるのだ。

　卒論に関しては、実際に、色々な人が読む可能性があるということもある。卒論は、研究室や図書館に保管され、閲覧できるようになるはずだからである。そのためにも、その分野の専門家ならば理解できるように書いておく必要がある。

# 第2章
# なぜ、レポート・卒論を書くのか

本章では、なぜ、レポート・卒論を書くのかを考えていく。「単位のため」という答えはおいておいて、あなた自身をいかに変えるか、学術の進歩にいかに貢献するかという視点から見ていこう。

レポート・卒論を書く目的を**要点2**にまとめた。以下で、それぞれについて説明していく。

---

**要点2**

**レポート・卒論を書く目的**
1. 問題提起する能力を養う
2. 問題に対して解答する能力を養う
3. 取り組んだ問題に関する知識・理解・考えを深める
4. 学術論文やビジネス文書などを書くための文章力を養う

これらに加え卒論では
1. 未解決の問題の解決に、何らかの新しい貢献をしようとする
2. あなたが知り得たことを形として残す

---

## 2.1 問題提起する能力を養う

学術の世界では、問題提起する能力が大切である。ここでいう「問題提起」は、**取り組むべき問題を発見すること**と、**その問題の意義を他者に訴えること**を指す。学術の進歩とは、問題提起をして、その問題を解決して

いくことによりもたらされるのだ。問題提起なくして学術は進歩しない。

解答レポート・卒論を書くことは、問題提起する能力を鍛えることにつながる。これは、課題を自由に決めることができる解答レポートの場合や、卒論ではもちろんのことである。あなた自身が設定した問題に取り組むのだから、説得力のある問題提起をしないといけない。課題が決められている場合にも、こうした能力は求められる。その問題の重要性を、あなた自身が理解し、読者に説得する必要があるからだ。「課題を出した教員相手に、そんなこと説明するまでもない」と思ってはいけない。レポート・卒論の読者は、課題を出した教員だけではなく、もっと広く想定すべきものである（1.5節参照；p.13）。その問題について熟知しているわけではない読者に、その問題の意義を訴えること。そこにはやはり、問題提起の能力が問われる。

説明レポートでも、問題提起の能力（問題の意義を訴える能力）は求められる。その事柄について説明するのは、そこに、何らかの学術的問題があるからである。

- ☐ ○○とは何なのか
- ☐ そこには、どういう学術的問題があるのか
- ☐ その問題はどこまで解決されているのか
- ☐ 問題解決のため、何が行われているのか（行うべきなのか）

説明レポートでも、こうしたことを書き示す必要があるのだ。

## 2.2 問題に対して解答する能力を養う

何らかの問題（学術上のことでもよいし、ビジネス上のことでもよい）に向き合い、それを解決する能力は、将来のためにも身につけなくてはいけないことである。レポート・卒論を書くことは、そのための格好の訓練

になる。

　解答レポート・卒論では、何らかの問題に取り組み解答を出す。そのためには、実験・調査をしてデータを集めたり、文献調査をして事実を集めたりする必要がある。むろん、漫然とデータ・事実を集めてはいけない（第2部第2章参照；p.28）。解答するために何を調べる必要があるのかを洞察する必要がある。データ・事実を集めたら、それらを分析して情報を引き出す。そして、論理的に主張を展開し結論（解答）を導く。だから当然、分析力・論理的思考力も必要である。解答レポート・卒論を書くことは、こうした力を養うことにつながるのだ。

　説明レポートでも、説明しようとする事柄について分析整理する能力は必要である。解答レポート・卒論には及ばないかもしれないが、「解答する能力」は、説明レポート執筆でも鍛えられる。

## 2.3　取り組んだ問題に関する知識・理解・考えを深める

　レポート・卒論を書くことは、取り組んだ問題について、知識・理解・考えを深める1番の方法である。これは、2つの点において言えることだ。

　第1に、レポート・卒論を書くためには、さまざまな文献を読みこなして自分のものにする必要があるからである。自ら実験・調査をする場合も、その実験・調査の手法を理解しなくてはいけない。こうした行為が知識や理解を深めることになることは言うまでもない。

　第2に、よく言われるように、**書くことは考えること**だからである。レポート・卒論を書くためには、非常に多くの情報を分析処理しなくてはいけない。だから、全情報を一どきに頭の中で操って、全体の論理性を確かめることなどできるはずもない。こうした場合、全体の道筋を流れ図に描いてみることである。そしてそれを見てみる。それを文章にしてみる。全体の道筋（論理の流れ）を確かめるには、考えていることを頭の中で吟味するのではなく、考えを読める（見える）形にし、そちらを使って吟味することである。そうすればきっと、自分が考えていたことについてずいぶ

んと気づくことがあると思う。書くことは、取り組んでいる問題に対する理解や考えを深めることにつながるのだ。

## 2.4　学術論文やビジネス文書などを書くための文章力を養う

　将来どういう職に就こうと、文章を書くことはついて回るであろう。研究者になれば、学術論文を書くことが仕事になる。ビジネスの世界に入っても、さまざまな文書を書くことになる。こうした文書を書くためには、わかりやすく正確に伝える文章力や、他者を説得する能力を養うことが必要である。レポート・卒論を書くことは、そのための格好の訓練となる。

## 2.5　これらに加え卒論では 説 解

　卒論では、取り組んだ問題の解決に向けて新しい貢献をすることも目的となる（1.4節参照；p.11）。もっとも、1.4節で述べたように、卒業研究でこれを成し遂げるのは厳しいかもしれない。しかし是非とも、貢献しようという意気込みを持って取り組んで欲しい。

　もう1つ大切なことは、**あなたが知り得たことを形として残す**ことである。卒論は、図書館や研究室に保存され、誰でも閲覧できるはずのものである。これはつまり、あなたが一所懸命に調べたことを、誰かが参考にしてくれるかもしれないということだ。そこから、新しい研究が生まれるかもしれない。後に続く人のためにも、卒論を書き残すべきである。

# 第3章
# わかりやすい
# レポート・卒論を書こう

本章では、わかりやすいレポート・卒論を書くことの大切さを訴えたい。学術の世界では（世界でも）、わかりにくいことは百害あって一利なしである。

## 3.1 レポート・卒論は、読者にわかってもらうために書く

　レポート・卒論は何のために書くのか。これらの文書は、**読者にわかってもらうために書く**のだ。何よりもまず、このことを意識して欲しい。そんなこと当たり前と思うかもしれない。しかし、しっかり意識する必要がある。**読者は、「わかってくれない」存在**なのである。

　このことは、あなたが読む立場にある場合を考えれば納得せざるをえないであろう。あなたが、誰かが書いたレポート・卒論を読むとしたら、誰のものならば熱意を持って読むであろうか。家族・恋人・親友・友人・知人・他人。長い文章を読むのは面倒くさい。家族・恋人・親友のレポート・卒論ならば、熱意を持って読もうという気になるか。それ以外の人の書いたものは、あまり意欲がわかないであろう。——これはつまり、あなたの書いたレポート・卒論も、大多数の人は読む気になってくれないということである。

　基本的な姿勢として、読者は、あなたのレポート・卒論を理解するために努力しようとはしない。中学や高校時代の国語の読解練習とは違うのだ。中高生のときに私たちは、難しい文章を読解する教育を受けてきた。そして、読んでもわからないのは読者の責任であった。しかし現実の世の中で

は、**読んでもわからないのは書き手の責任**である。レポート・卒論も、わからなかったらそれで終わりにされてしまう。

そうは言っても、価値ある内容ならば、その価値をきっと見出してくれると思うであろうか。**甘い**。現実には、どんなに価値あることを書いていたとしても、**わかりにくいレポート・卒論は埋もれるだけ**である。読者は、意味不明な文章の海の中から真珠を探し出そうなどとしてはくれない。あるかどうかもわからない真珠探しに熱意を注ぐ気など起きないのだ。書き手は、「きっと評価してくれる」という甘えを捨て去らなくてはいけない。

読者から熱意を引き出すためには、価値ある内容であること、そしてそれに加え、わかりやすいことが非常に大切である。レポート・卒論とは、情報を読者に届ける乗り物である。あなたは、レポート・卒論という乗り物に情報を載せて読者に届けようとしているのだ（**図1**）。肝要なのは、乗り物の性能（わかりやすさ）と、そのレポート・卒論が載せている情報の価値は別物であることである。どんなにすごい情報も、乗り物の性能が低ければ（わかりにくければ）読者に伝わることはない。あなたの大切な情報を送り出すのだから、可能な限り性能の高い乗り物に載せてあげようではないか。

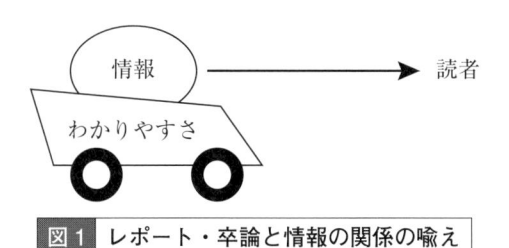

**図1** レポート・卒論と情報の関係の喩え

レポート・卒論を書くとは、レポート・卒論という乗り物に情報を載せて読者に届けることである。乗り物の性能（わかりやすさ）と、そのレポート・卒論が載せている情報の価値は別物である。

## 3.2 わかりやすいレポート・卒論を書くために大切なこと

ではどうすれば、わかりやすいレポート・卒論を書くことができるのか。そのために大切なことが3つある。

> ☐ わかりやすくしようという意識を持つ。
> ☐ 読者を想定する。
> ☐ 文章技術を身につける。

以下で、1つ目と2つ目について説明する。3つ目は第4部（p.195）で詳述する。

### 3.2.1 わかりやすくしようという意識を持つ

私が思うに、一番大切なことは、わかりやすくしようという意識を持つことである。わかりにくい文章を書く人は、そもそもこの意識がないのだ。この意識があるならば、わかりやすくしようと改善の努力をする。「この説明でわかるのか？」「どう直せばわかりやすくなるのか？」を考える。意識がない人はこうしたことを考えない。意識がある人は向上し、意識がない人は向上しないのである。

### 3.2.2 読者を想定する

どんな文章にも、対象とする読者が存在する。読者を意識して書くことは、わかってもらう文章を書くために絶対に必要なことである。あなたは、自分のレポート・卒論の読者層（1.5節参照；p.13）を意識して書かないといけない。

具体的には、読者層のどういう点を意識すべきなのか。私は、熱意・興味・知識を意識して書くことを勧める。

## 熱意

　どれくらい熱意があるのかは、どれくらい一所懸命になって読んでくれるのかに関わる。すでに述べたように、読者の熱意をあてにしてはいけない。あなたの方が、わかってもらうための努力をしないといけない（3.1節参照；p.18）。

## 興味

　とはいっても、あなたのレポート・卒論に興味を持ってくれれば、積極的に読もうという気持ちになってくれる。そのためには、読者の興味がどこにあるのかを意識することである。

　ある学問分野の専門家（卒論や、専門性の高い講義のレポートの読者層；1.5節参照；p.13）の興味関心はもちろん、その分野における問題の解明にある。だから、あなたのレポート・卒論は、その学問分野の課題として取り組む価値があると訴えなくてはいけない。課題が与えられたレポートの場合も、この努力を怠ってはいけない。想定すべき読者は、課題を課した教員だけではないからである。その教員のみならず、その学問分野の専門家全体に受け入れてもらうようにしないといけない。

　新聞等の学術記事欄の読者（専門性の低い講義のレポートの読者層；1.5節参照；p.13）の興味関心は、「学術的・社会的に重要とされること全般」にある。特定の分野に関して強い関心や深い理解がある訳ではないけれど、学術的・社会的問題全般に広く関心を寄せうる存在である。だから、レポート・卒論で扱う課題が、その学問分野ではいかに重要かを説明してみせることである。

## 知識

　専門的な知識を用いた説明をするときは注意が必要である。そうした知識がない読者は説明についていけないからだ（第4部1.1節参照；p.196）。だから、読者が知らないであろうことは説明しなくてはいけない。

　では、専門的な知識をどこまで説明すべきか。便宜的に、専門に関わる

知識を2つに分けて考えよう。1つは、その学問分野に共通する専門知識（そのまま専門知識と呼ぶ）。もう1つは、その学問分野で扱う数ある課題の中の、ある特定の研究課題のみに関連する専門知識（仮に、特定知識と呼ぶ）である。専門家を読者層とする場合は、専門知識は説明しなくてよい。しかし専門家といえど、自分の研究課題から離れた知識は不足している。だから、あなたのレポート・卒論に関わる特定知識は説明する必要がある。一方、新聞等の学術記事欄の読者を対象とする場合は、特定知識はもちろん専門知識も丁寧に説明しなくてはいけない。

# 第2部
# 研究の進め方

第2部では、研究の進め方を説明する。レポート・卒論を書くためには、まずは、書くべき中身を生み出さなくてはいけない。そのために、取り組む問題を決め、実験・調査・文献精読等を行ってそれに解答するということをする。以下で、それらのやり方について説明したい。

　第2部の説明は主に、解答レポート・卒論を書くためのものである。説明レポートを書く方は、第3章「文献検索の仕方」だけを読めばよい。

# 第1章 取り組む問題の決め方

(説)

まず初めに、どういう問題に取り組むべきなのかということと、取り組む問題の見つけ方を解説する。課題が決められたレポートの場合には、問題選びに悩むこともない。以下では、自由課題のレポートと、卒論に絞って話を進めることにする。

## 1.1 取り組むべき問題の条件

取り組むべき問題の条件を**要点3**にまとめた。本節では、取り組むべき問題について説明する。

---
**要点3**

**取り組む問題の条件**
1. あなたが面白いと思う
2. 役に立つ、または知的好奇心をそそる
3. 多くの人がその解答を知りたくなる
4. 部分的にせよ解答できる

---

### 1.1.1 あなたが面白いと思う

取り組む問題を決める上で大切なことは、その問題をあなたが面白いと思うことである。面白いと思うからこそ、解き明かそうという意欲が湧く。その面白さを読者に伝えたいという気持ちにもなれる。だから、取り組む問題選びの第一歩は、あなたの興味を惹くものを見つけることである。

卒論の場合には、取り組む問題が与えられることも多いであろう。しかしその場合も、あなたが面白いと思うことが大切である。面白さに納得するまで、指導教員と議論したり自分で考えたりしよう。どうしても納得できない場合は、取り組む問題の変更を申し出るべきだ。短くはない卒業研究の生活を、つまらない問題にいやいや費やすことは不幸である。

### 1.1.2 役に立つ、または知的好奇心をそそる

まず初めに、学術で取り組む問題には大きく分けて2つあることを説明する。実生活において役に立つ問題と、知的好奇心をそそる問題である。たとえば、「癌の治療法の確立」や「地球温暖化の抑制」といった問題は、その解決が実生活において役に立つ問題である。かたや、「宇宙誕生の謎の解明」や「人類の進化的起源の解明」といった問題は、実生活において何の役にも立たない研究である。しかし後者2つも、研究する価値があると思うであろう。こちらは知的好奇心をそそるのだ。知的好奇心をそそる研究は、人類の知の蓄積となり、人類として生きる活力を与えるものである。

レポート・卒論も学術である。だから、役に立つか、知的好奇心をそそる問題に取り組むべきである。

ただし、取り組む問題が高尚で固い必要はない。なるほど上にあげた4例は高尚で固いかもしれない。しかしたとえば、「日本の漫画が面白い理由の分析」や「子どもの名前の流行を決める要因の解明」は、高尚で固いという感じはしない。しかしこれらも立派な学術的問題である。役に立つか、知的好奇心をそそることが大切なのであって、高尚さや固さは問題ではないのだ。

### 1.1.3 多くの人がその解答を知りたくなる

レポート・卒論は、多数の読者に向けて書くものである（第1部1.5節参照；p.13）。だから、その人達にその価値を受け入れてもらわなくてはいけない。そのためには、その人達が解答を知りたくなる問題に挑むこと

である。興味を抱かない問題に挑んだレポート・卒論は打ち捨てられるだけだ。あなたのレポート・卒論の読者層（第1部1.5節参照；p.13）を思い浮かべ、きっと興味を持ってもらえると思える問題に取り組むようにしよう。

### 1.1.4　部分的にせよ解答できる

　学術とは、**解答できる問題に取り組む行為**である。レポート・卒論も、解答できる問題に取り組まなくてはいけない。ただしこれは、答えのわかっている問題（あなたがすでに答えを知っている問題）に取り組むという意味ではない。「これこれのことを調べれば解答できる」と見通せる問題に取り組むということである。考えてみればこれは当然のことだ。どうすれば解決できるのかわからない問題には、取り組みようがないではないか。

　たとえば、飲酒運転を撲滅するため、「その酒を飲むと、運転する気がなくなる酒の開発」を思い立ったとする。そういう酒ができれば確かに画期的だ。しかしこれは、「どうすればそういう酒を開発できるのか」を説明できない限り、学術の対象とはなりえない。解答の見通しなしには、手の動かしようがないからである。これに対し、「運転者の酒気を検知したらエンジンがかからなくなる車の開発」は学術の対象となりうる。「酒気の検知器を車に組み込んで……」といった開発の見通しが立つからである。

　むろん、挑戦の気概を削ぐつもりはない。成功する挑戦者は見通しを持って挑戦する。見通しなしに挑戦する者は、単なる無謀者ということである。

　ただし、完全に解答できる問題でないと駄目だというわけではない。部分的な解答でもよい。解答するための土台作りでもよい。解答するための何らかの一歩であればよいのだ。

## 1.2 取り組む問題の見つけ方

初めに断っておくと、こうすれば必ず取り組む問題が見つかるなどという方法を私は知らない。「苦悶しなさい」としか助言しようがないのが実のところである。ただ、闇雲に苦悶するのではなく、以下の順序でやってみる方が、取り組む問題を見つけやすいと思う。

> 1. 「何か面白いことはないか」と、いろいろ考えたり、インターネットで検索してみたりする。教員や先輩に相談するのもよい。
> 2. 心を惹く問題が見つかったら、それに関連する文献をいくつか読んで、その世界を覗いてみる。
> 3. 改めて、その問題が本当に面白いのかどうかを考える。
> 4. 面白いと確信したら、文献を深く読み進める。
> （つまらないと感じた場合は 1 に戻る。）

一連の過程で大切なことは、紙にいろいろ書くということである（第1部2.3節も参照；p.16）。何か思いついたら、それを紙に書き留めておく。後日読み直すと、そこから新たな発想が生まれるかもしれない。面白そうな問題を見つけ、それについて突き詰めて考えるときも、思い浮かんだことを紙にいろいろ書いてみる。そして、それを眺める。書いた事柄の間の関係を考えてみる。こうすることで頭が整理できる。思わぬ関係を発見する可能性もある。発想とは、紙の上でするものである。

# 第2章 説
# 研究の進め方

　取り組む問題が決まったら、それに解答するために何らかのことを行う。つまり、実験・調査等を行ったり、文献検索をして関連文献を読み進めたりする（以下では、これらを一まとめに研究と呼ぶことにする）。研究の手法は、学問分野によってさまざまである。各分野の事情を考慮した細々とした説明は本書の目的を超える。本章では、研究の進め方の基本を説明する。

## 2.1 仮説を立て、それを検証する

　研究を進める上で重要なことは、仮説を立てて、それを検証するという姿勢をとることである。この姿勢は、理科系のレポート・卒論のみならず、文科系においても多くの場合有効と思う。本節では、仮説を立てることの重要さを訴えたい。

### 2.1.1 仮説とは何か

　まず初めに仮説とは何かを説明する。それは要するに、取り組む問題に対する解答の予測のことである。たとえば以下のようである。

---

問題：なぜ、サッカー日本代表は強いのか？
仮説：寿司を食べているから。

問題：絶滅危惧種○○の個体数減少要因は何か？

> 仮説：森林伐採のため。
>
> 問題：なぜ、日本の学生は講義中に質問をしないのか？
> 仮説：自己抑制の意識があるため。

問題には必ず解答がある。ならば必ず仮説も立てることができるのだ。

## 2.1.2　どうして仮説を立てるのか

では、どうして仮説を立てる必要があるのか。それは、**結論（解答）を支えるのに最善なデータ・事実を得るため**である。たとえば、サッカー日本代表の強さの秘密を調べることにしたとする。そして、最初から最後まで、思いつくままに闇雲に調査をしたとしよう。レポート・卒論をまとめる段階になり、調べたことの中から使えそうなデータ・事実を並べてみた。

> ・日本代表の選手は俊敏である。
> ・日本代表の選手は牡蠣があまり好きではない。
> ・選手が寿司をたくさん食べた年ほど試合成績が良い。

これらから、寿司を食べて俊敏になったのだろうと想像し、「日本代表が強いのは寿司のおかげ」と結論したとする。では、これらのデータ・事実は、寿司のおかげという結論を支える最善のものであろうか。そうではないであろう。以下の4つを示す方がずっと説得力がある。

> ・日本代表の選手は俊敏である。
> ・選手が寿司をたくさん食べた年ほど成績が良い。
> ・日本代表の選手が寿司を絶ったら弱くなった。
> ・他国の選手が寿司を食べたら強くなった。

闇雲に調べたものが最善であることは滅多にないのだ。かたや、寿司のお

かげと結論を予測してから調べていたらどうだろう。この場合は、この結論を支えるのに最善なデータ・事実を前もって考えることができる。進むべき方向がわかっているので、これら最善なデータ・事実を得るための道を歩むことができるであろう。

このように、最善のデータ・事実を得るためには以下を行うことである。

> 1. 仮説を立てる（結論の予測）。
> 2. その結論を支えるのに最善なデータ・事実は何かを考える。

結論が先にあって、次に、最善なデータ・事実を考えるという思考である。結論先行ならば、それを支えるために何を調べればよいのかを考え抜くことができる。期待通りのデータ・事実が得られれば、最善のものに支えられた結論を提示することができるわけだ。

むろん、期待に反したデータ・事実が出てくることもあるであろう。つまり仮説が外れた。その場合には、仮説を立て直して1 2 をやり直すことになる。当初の仮説が外れたからといって、闇雲に調べる道に走ってはいけない。迷ったら地図を見直すこと、つまり、検証すべき仮説を考え直すことである。常に仮説を抱いて研究を進めることが、最善なデータ・事実を得る近道である。

## 2.2 研究を進める手順

では具体的には、どのような手順で研究を進めればよいのか。その基本を**要点4**にまとめた。これに沿って説明していこう。

> **要点4**
> 
> **研究の進め方**
> 1. 文献検索や予備的な実験・調査等をして、基本的な情報を集める

> 2. その結果を元に何らかの着眼をして、問題に対する解答についての仮説を立てる
> 3. 仮説が正しいのかどうかを確かめるために最善と思う、実験・調査・文献検索等を行う
> 4. 得られたデータ・事実を解析して、仮説が正しいのかどうかを検討する
> 5. 予想が外れたら、新たな仮説を立てて軌道修正する

## 1. 文献検索や予備的な実験・調査等をして、基本的な情報を集める

　情報がないと何も始まらない。だから初めは、文献検索をして情報を集めたり、予備的な実験・調査等を行ったりする必要がある。**この段階では仮説は不要である**。仮説を立てるための準備段階なのだ。いろいろな情報を集め、だんだんと何かに着眼していく。たとえば、日本代表の強さには寿司が関係していそうだと着眼していく。着眼を確固たるものにするために、予備的な情報収集をさらに進めていこう。

## 2. その結果を元に何らかの着眼をして、問題に対する解答についての仮説を立てる

　予備的な情報収集を十分に行い確固たる着眼を得たら、研究姿勢を転換させるべきである。これからは、その着眼が正しいのかどうかを確かめるという姿勢で研究を進める。つまり、問題に対する解答についての仮説を立てるのだ。そして、それを検証しようという姿勢に転じる。

## 3. 仮説が正しいのかどうかを確かめるために最善と思う、実験・調査・文献検索等を行う

　仮説が立ったら、それが正しいのかどうかを確かめるための方法を考える。そしてそれに基づいて、本格的な実験・調査・文献検索等を行おう。

4. 得られたデータ・事実を解析して、仮説が正しいのかどうかを検討する

　必要なデータ・事実が揃ったら、それらを整理して分析する。データを取った場合には、それらを解析して何らかのことを導き出す。

　こうした解析を終えたら、仮説が正しいのかどうかを検討しよう。個々のデータ・事実を統合して何が言えるのか。それは、仮説を支持するのかしないのか。仮説支持なら万々歳である。

5. 仮説が外れたら、新たな仮説を立てて軌道修正する

　仮説が外れたら、改めて仮説を立て直す。そして、それを確かめる方法も考え直す。それに基づいて新たに、実験・調査・文献検索等を行うのだ。

　ただし、仮説が外れたからといって、始めから実験・調査・文献検索等をやり直す必要はないことが多い。ある部分だけやり直せばよいかもしれないし、ほとんどやり直さずに、微修正で済む場合もある。

　また、「この仮説は否定された」という結論だって学術的な価値を持ちうる。「その仮説は正しいだろう」と多くの人が考えている場合などだ。その場合は、軌道修正せず、否定的な結果を売りとするレポート・卒論を書くべきである。

　現実問題として、実験・調査・文献検索等をやり直す余裕がない場合については、次2.3節を参照して欲しい。

## 2.3　次に繋げることも大切

　2.2節で書いたことをレポート・卒論で実行するのは大変なことも確かである。そのため、どこかの段階で終わってしまう可能性もある。その場合も、次に繋がるものを残せれば、それで十分に価値があると思ってよい。

　あなたは多分、右も左もわからない状態でその問題に取り組む。だから、初めのうちは歩みが遅くて当然である。基本的なデータ・事実を集め整理しただけで終わってしまうかもしれない。何らかの着眼を得たところで終

わってしまうかもしれない。しかし、そこで得たものは次に繋がる。それらを元に、次のレポートや次の卒論修士論文を書けばよいのだ。

取り組んだ問題に対して解答しようという目的意識を持って臨んだならば、その段階で終わったなりの「解答」を書くことができるはずだ。たとえば以下のようにである。

---

**基本情報の収集で終わった場合の解答例**

「日本代表の強さを、客観的なデータで表すことができた。今後は、このデータを分析し、強さと関係している項目を見つけ出す必要がある。それにより、日本代表の強さの秘密を探る手がかりを得ることができるであろう」

**着眼の発見で終わった場合の解答例**

「日本代表が強いのは寿司のおかげである可能性が示唆された。今後は、この仮説を検証していく必要がある」

---

こうした解答ならば、読者はちゃんと受け入れてくれる。いけないのは、ただ漫然と調べ、調べたことを連ねただけのレポート・卒論を書くことである。

ただし、途中段階で終わった場合は、取り組む問題を再検討する必要がある。途中段階での「解答」に対応した問題に変えるのだ。詳しくは第3部2.2節（p.46）を参照して欲しい。

# 第3章
# 文献検索の仕方

本章では、文献を検索して閲覧する方法を説明する。これらの方法を詳述することは本書の目的を超えるので、どの分野にも通じる概要を述べる。

## 3.1 利用すべき文献媒体

まず初めに、「文献」として利用すべき媒体について取り上げよう。文献には、論文・書籍・インターネットのサイトの3つがある。それぞれについて説明する。

### 3.1.1 論文

最先端の研究成果は論文として発表される。第一線の研究者は、自分の研究成果を学術雑誌（ときに書籍）に論文として発表するのだ。論文は、新しい学術的知見として、その学術分野の知を押し進めるものである。ちなみに学術雑誌とは、論文を掲載するための定期刊行物である。

論文は、外国語（主に英語）または日本語で書かれる。何語が主流なのかは学術分野によって異なる。理科系の場合は英語が主流である。

論文は、最先端の研究成果を専門家向けに書くものである。そのため、初学者が読みこなすのは難しい。そうはいっても、卒業研究のときには読むことが必須となる。だから、臆することなく早い時期から読破に挑戦して欲しい。

ほとんどの学術雑誌はインターネット版も（のみを）公開している。そ

のため論文をインターネットで読むことができる。PDFとしてダウンロードすることもできる。ただし、有料のものと無料のものとがある。有料のものは、あなたの大学が利用契約を結んでいれば、大学のネットから自由に読むことができる（学内限定）。あなたの大学の付属図書館のホームページを見てみよう。「電子ジャーナル」といった項目があり、自由に利用可能な学術雑誌のリストが並んでいるはずだ。一方、無料のものは、誰でもどこからでも自由に読むことができる。

### 3.1.2 書籍

　学術の書籍には、大きく分けて、専門家に向けて書かれたもの（専門書）、その分野を学ぶ人のために書かれたもの（教科書など）、広く一般向けに書かれたもの（一般書など）がある。より専門的なことを知りたい場合は専門書を読む。その学術分野について学ぶのには教科書や一般書が役立つであろう。

　書籍には、印刷媒体のものと電子書籍とがある。どちらも有料である。利用できる方を利用すればよい。もちろん、図書館で借りることも可能である。とくに専門書は、一般的には手に入りにくく、図書館利用が主となるであろう。

　書籍は、情報源として大いに利用して欲しいものである。情報に対する信頼性という点では、下記で触れるインターネットのサイトよりもずっと上だからである。なぜならば書籍は、その学術分野において信頼を得ている人しか出版できないからである。つまり、その学術分野のれっきとした専門家が書いているはずだということである。著者およびその研究歴が公開されていることも信頼の証しとなる。むろん、書籍ならばなんでもかんでも信頼できるわけではないのだが、平均的な信頼度はインターネットのサイトをはるかにしのぐであろう。

### 3.1.3　インターネットのサイト

　文献媒体としては、インターネットのサイトがやはり便利であろう。な

お、ここでいうインターネットのサイトとは、インターネットで読める論文・書籍以外のもののことである。インターネットのサイトを検索すれば、たくさんの情報がたちまち集まるのだから極楽である。

しかし、インターネットのサイトを鵜呑みにしてはいけない。何しろインターネットは、誰でも情報発信できる世界である。書き手の名前・経歴を明かさなくてもよいので、その学術分野に関してどれだけの知識・経験を持った人が書いているのかわからないものが非常に多い。インターネットのサイトで信頼をおけるのは、その分野に精通した個人が実名で書いているものと、確かな組織（大学・研究機関・学会・公的機関など）が発信しているものくらいであろう。他のものは、まずは疑ってかかるべきだ。発信元が不確かな情報は一切読むなというつもりはないが、こうした情報は、いくつものサイトを比較して裏をとるべきである。

## 3.2 文献検索の方法

次に、文献を検索する方法を紹介する。

文献検索は、文献のデータベースというものを使って行う。文献データベースとは、文献情報を集積して、必要な文献を検索できるようにしているものである。文献データベースにはさまざまな種類があり、全学術分野の文献を集積しているものから、特定分野の情報集積に特化しているものまである。いずれも、インターネットで利用することができる。

文献データベースには、有料のものと無料のものとがある。有料のものは、あなたが所属する大学が契約していれば、大学のネットから自由に利用することができる（学内限定）。あなたの大学の付属図書館のホームページを見てみよう。「データベース」「情報検索」などといった項目があり、利用できるデータベースのリストが並んでいるはずだ。無料のものは、誰でもどこからでも利用できる。

以下で、全分野対象の主なデータベースを紹介する。URLは、2017年7月現在のものである。各データベースの使い方については、それぞれの

利用説明文を参照して欲しい。

---

Webcat Plus（http://webcatplus.nii.ac.jp/）無料
国立情報学研究所が提供している。全国の大学・研究機関が所蔵している書籍を一括して検索できる。

CiNii Articles（http://ci.nii.ac.jp/）無料
国立情報学研究所が提供している。日本で出版された論文・書籍を検索できる。

Google Scholar（http://scholar.google.co.jp/schhp?hl=ja）無料
Google が提供している。全世界で出版された論文・書籍を検索できる。

Web of Science（http://webofknowledge.com/wos）有料
Thomson Reuters が提供している。全世界で出版された論文を検索できる。

Scopus（http://www.scopus.com/home.url）有料
Elsevier が提供している。全世界で出版された論文を検索できる。

---

有料データベースの検索機能は強力である。可能ならば利用して欲しい。

# 第3部
# レポート・卒論の書き方

書くための素材（取り組む問題・データ・事実等）が揃ったら、レポート・卒論をいよいよ書き始めることになる。第3部では、レポート・卒論の各部分（序論・方法等）で何を書くべきかを解説したい。

# 第1章 レポート・卒論の構成

まずは、レポート・卒論の構成を説明しておく。どういう章立てをするのかといった、形式的なことである。

## 1.1 基本的な構成

レポート・卒論の基本的な構成は以下のようなものである。

| 解答レポート | 説明レポート | 卒論 |
|---|---|---|
| タイトル | タイトル | タイトル |
|  |  | （目次） |
|  |  | 要約 |
| 序論 | （序論） | 序論 |
| 本論 | 本論 | 本論 |
| 結論 | （結論） | 結論 |
|  |  | 謝辞 |
| 引用文献 | （引用文献） | 引用文献 |
| （参考文献） | 参考文献 |  |
| （図表） | （図表） | （図表） |

※かっこ内は、ないこともある項目。

各項目について簡単に説明する（詳しくは、第4章以降を参照のこと）。

> **タイトル** レポート・卒論の中身を1文で簡潔に表したもの。
> **目次** 文字通り。短い卒論では省略してもよい。
> **要約** 卒論の中身を短く要約したもの。
> **序論** レポート・卒論の目的を導入する部分。
> **本論** 目的の導入を受けてさまざまなことを行う部分［詳しくは次1.2節参照］。解答レポート・卒論では、結論を導くためのことを行う。ただし、行う内容は学術分野によって大きく異なる。説明レポートでは、課題についての説明を行う。
> **結論** 取り組んだ問題に対する解答。本論から独立させてもよいし、本論の中に組み込んでしまってもよい。
> **謝辞** 研究過程でお世話になった方々への謝辞。
> **引用文献** その文献が示していることについて本文中で言及している文献のリスト。その文献のみが示している学術的知見について言及した場合、それは引用文献となる。
> **参考文献** その学術分野の一般常識を知るために参考にした文献のリスト。その学術分野の大抵の教科書等に載っているようなことの場合、その文献は参考文献となる。卒論では原則として参考文献を載せない。解答レポート・説明レポートで、引用文献と参考文献の両方がある場合は、「引用・参考文献」として統合してもよい。
> **図表** データ等を提示した図表。本文中で参照している部分の近くに組み込む。本文中に組み込むことが無理な場合は、引用（参考）文献リストの後ろに全図表をまとめて載せてもよい。

## 1.2 本論の構成

　本論は、レポート・卒論の内容に応じてさまざまな構成をとりうる。本節では、本論の構成について説明する。

## 1.2.1 自分でデータを取ったり解析したりした場合

　自分でデータ等を取ったり解析したりした場合、本論（結論を含める）の基本的な構成は以下のようになる。

> **材料と方法**（または、「方法」「実験」など）　データを取った対象と方法、データ解析の方法などを説明する。方法だけを述べればよく、得られた結果の説明を交えてはいけない。
> **結果**　得られたデータや、データを解析して得た結果などを説明する。結果だけを説明すればよい。結果の解釈は次の考察で行う。
> **考察**（または「議論」など）　結果の解釈や、結果から言えることを述べる。結果を元にさまざまな議論を展開する部分である。得られたデータやその解析結果を、結果の章で説明することなく、考察で初めて説明してはいけない。結果で説明ずみのことをまとめ直しつつ議論を進めるのはよい（8.5.2項参照；p.147）。
> **結論**　取り組んだ問題に対する解答を述べる。

「本論」という見出しは不要で、「材料と方法」「結果」「考察」「結論」というふうに見出しを立てればよい。ただし、結論を独立の章とはせず、考察の中に組み込んでしまってもよい（次節の例6参照）。「結果」「考察」を一まとめにして、「結果と考察」としてもよい。

　各部分の役割をきちっと分けることを心がけよう。結果に書くべきことを材料と方法に書いたり、考察に書くべきことを結果に書いたりしてはいけない。とくに多いのが、結果の章において、結果の説明に続いてその解釈も書いてしまうことである（7.4.2項参照；p.132）。解釈を書くのは考察である。書くことを混在させてしまっては、何のために章を分けたのかわからないではないか。

## 1.2.2 それ以外の場合

　データを取ったり解析したりしたわけではない場合も、本論をいくつかに分割することが効果的である。あなたがその部分で議論したい内容に合わせて、いくつかの章に分けるのだ。たとえば、第1部1.3.2項で紹介した良いレポートの例4，5（p.7, 9）も、本論を分割している。こうすれば、そこに何が書いてあるのか読者が理解しやすい。

　いくつかの章に分ける場合は、「本論」という見出しは不要である。各部分にふさわしい見出しを付ければよい。章に分けない場合は、「本論」という大見出しを付ければよい。

## 1.3　章立てをしよう

　わかりやすいレポート・卒論を書くためには、章立てをすることが鉄則である。章・節・項といった、階層構造を持つまとまり（章の中に節があり、節の中に項がある）を作るのだ。そして、各部分に見出しをつける。こうすることで、その部分に何が書いてあるのかを読者は前もって知ることができる（前もって知ることの利点については、第4部2.3節参照；p.204）。章立てなしに（したがって見出しもなしに）書き連ねてはいけない。それでは、各部分に何が書いてあるのかわからず、読者はいらいらしてしまう。

　前節で紹介した構成を基本に、あなたのレポート・卒論にあった章立てをしよう。たとえばこんな感じだ。

---

例6　なぜ、日本代表は強いのか？：勝利を呼ぶ寿司仮説の検証
（注；各見出しの前の番号は、階層構造を明確にするためにつけたものである。実際には、つけてもつけなくてもよい。）

Ⅰ．序論
Ⅱ．材料と方法

1．研究対象
2．調査・実験方法
　　1）寿司を食べた回数とその年の勝利数との関係
　　2）寿司を食べるかどうかの操作実験
3．統計処理の方法
Ⅲ．結果
1．寿司を食べた回数とその年の勝利数との関係
2．寿司を食べるかどうかの操作実験
Ⅳ．考察
1．日本代表の強さの秘密は何か？
2．寿司の、継続的強化への適用
3．今後の課題

この例では、「Ⅱ．材料と方法」から「Ⅳ．考察」までが本論にあたる。結論（「日本代表の強さの秘密は何か？」の中で提示）も、本論に組み込んでしまっている。

# 第2章
# 構想の練り方

執筆に先立ち行うべきことがある。どういうレポート・卒論を書くかという構想を練ることである。構想を練らずに書き始めてもうまくいくはずがないのだ。構想の練り方を**要点5**にまとめた。以下で、具体的に説明していこう。

　本章の内容は主に解答レポート向きであるが、説明レポートを書く場合も読んでおいて欲しい。

---

**要点5**

**構想の練り方**
1. 得られたデータ・事実を元に、結論およびそれを導く論理を定める
2. 結論に対応するよう、取り組む問題を決め直す
3. 話の流れを作る

---

## 2.1　得られたデータ・事実を元に、結論およびそれを導く論理を定める

　解答レポート・卒論の場合、第1にすべきことは、得られたデータ・事実等を元に結論を決めることである。そして、結論を導く論理を構築することである。日本代表の研究の場合は**図2**のようになる。

　あなたが得たデータ・事実等から、結論に至るまでの論理の流れを整理してみよう。この作業は、論理の流れを紙に（あるいはコンピュータ・ソフトを使って）描いて行うべきである。頭の中だけで行うと問題点を見落としてしまう可能性があるからだ。整理にあたっては、「データ・事実→

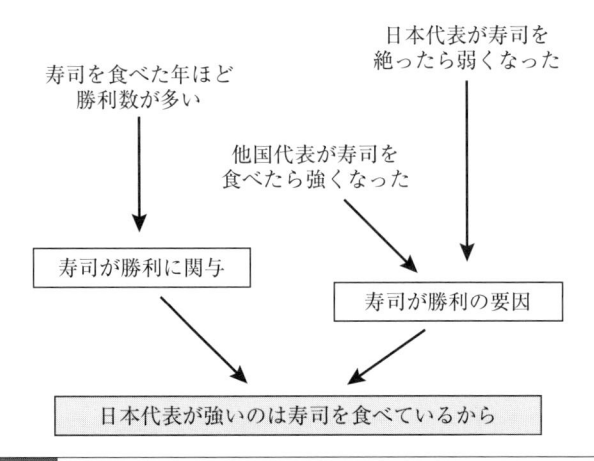

```
                寿司を食べた年ほど        日本代表が寿司を
                勝利数が多い            絶ったら弱くなった
                            他国代表が寿司を
                            食べたら強くなった
                     ↓           ↓        ↓
                ┌─────────────┐  ┌─────────────┐
                │ 寿司が勝利に関与 │  │ 寿司が勝利の要因 │
                └─────────────┘  └─────────────┘
                         ↓           ↓
                ┌──────────────────────────────┐
                │ 日本代表が強いのは寿司を食べているから │
                └──────────────────────────────┘
```

**図2** 個々のデータ・事実から結論に至るまでの論理の流れ

結論」という方向で考えるだけでなく、「結論→それを支えるデータ・事実」という逆向きの思考をすることも有効だ。結論をまずおいてしまって、それを支えるのに必要なデータ・事実はどれなのかと考えていくわけだ。論理的欠陥が見つかったら、論理の流れや結論を考え直す必要がある。時間が許す範囲で、データ・事実の再解析等を行うことになるかもしれない。こうして、**図2**のような論理図を完成させる。

　この作業過程は、不要なデータ・事実を削る場でもある（無駄な情報の弊害については第4部2.1節参照；p.201）。結論を支えるのに不要なデータ・事実は思い切って削ってしまおう。それがどんなに苦労して集めたデータ・事実であろうともだ。レポート・卒論は資料集ではない。データ・事実を元に、何らかの主張をするためのものである。不要なデータ・事実を載せることは、レポート・卒論の主張をわかりにくくすることでしかない。

## 2.2　結論に対応するよう、取り組む問題を決め直す

　次にすべきは、結論に対応するよう、取り組む問題を決め直すことであ

る。こう書くと違和感を感じるかもしれない。取り組む問題は、研究を始めたときに決めていたと。しかし、決め直す必要があるのだ。

なぜ決め直すのか。それは、研究を始めたときに決めた問題が、得られた結論とずれていることがあるからだ。たとえば、「なぜ、日本代表は強いのか？」の研究で、「寿司を食べているからである」という結論が出たのならよい。問題に対する解答になっているからだ。しかし場合によっては、「寿司のおかげでお肌つるつるである」という結論になってしまうこともありうる。寿司の効果の一環として皮膚の新陳代謝を調べているうちに、美肌効果を検出してしまったというわけである。

こうした場合、取り組む問題と結論のどちらかを修正して、両者が対応するようにしないといけない。レポート・卒論は、問題提起をして、それに対して解答するものだからである（第1部第1章参照；p.2）。両者のうち、結論の方を変えることはありえない。不自然な論理になったり、データ・事実の解釈のねじ曲げになったりしかねないからだ。だから、取り組む問題を見直すべきである。先ほどの例の場合は、「なぜ、日本代表の選手のお肌はつるつるなのか？」という問題設定にしてしまう。そして、始めからこの問題に取り組んでいたことにしてよい。研究過程の紆余曲折を書く必要はない。なぜならば、レポート・卒論は、あなたが知り得たことを簡潔に伝えるための文書だからである。そのためには、問題提起から結論まで、無駄のない流れにすることだ。ならば当然、初めからその問題に取り組もうとしていたことにしてしまう方がよい。

課題が決まっているレポートの場合は、取り組む問題を変えることができない。その場合は、調べるべきことを考え直す必要がある。どこか途中で、調べるべき方向がずれていってしまった可能性が高いのだ。データ・事実を取り直して、課題にきちっと答えた結論になるようにするしかない。

## 2.3 話の流れを作る

いよいよ、レポート・卒論の話の流れを作る。ここで問題となるのは、

文章では、1度に1つのことしか説明できないことだ。たとえば、**図2**（p.46）の複数の矢印が並行している部分は、どちらの矢印を先に説明するべきかという問題が生じる。このように、「2次元的な」論理の流れを1つずつ順番に説明していくときの、最良の話の流れを考えなくてはいけない。

　この作業も、書いたものを見ながら行うと効率的である。1枚の紙に1つのデータ・事実を書いて（図表の場合は、1枚の紙に1つの図表を印刷して）、全部のデータ・事実分の紙を用意する。そして、それらの順番をいろいろ並べ替えながら、説明する順番を考えるとよい。

　話の流れを練るコツは、全体的な話の流れを決めてから、各部分で書くことを肉づけしていくことである。まず初めに、各章で何を書くのかを決める。そして次に、それぞれの章の中に節を設けるべきかどうかを考え、設けるときには、各節で何を書くのかを決める。各段落で何を書くのかも決めてしまう。たとえば以下のようにだ。

---

**例7　なぜ、日本代表は強いのか？：勝利を呼ぶ寿司仮説の検証**

Ⅰ．序論
　　　　第1段落：日本代表は強いことを説明する。
　　　　第2段落：選手が俊敏であることを説明する。その理由を解明できれば、日本代表の継続的強化に役立てることができると指摘する。
　　　　第3段落：寿司を食べているから俊敏であるという着眼を示す。
　　　　第4段落：寿司仮説の検証を試みると述べる。
Ⅱ．材料と方法
　1．調査対象
　　　　第1段落：日本代表の説明をする。
　2．実験・調査方法
　　　1）寿司を食べた回数とその年の勝利数との関係
　　　　　第1段落：寿司を食べた回数とその年の勝利数との相関の解析の説明をする。
　　　2）寿司を食べるかどうかの操作実験

　　　　　第1段落；寿司を食べるかどうかの操作実験の説明をする。
　3．統計処理の方法
　　　　　第1段落；統計処理の説明をする。
（以下略）

このようにして、書く内容を決めてしまうとよい。

# 第3章
# 説得力のある主張とは

　本章では、説得力のある主張とはどういうものなのかを説明しよう。レポート・卒論の主張を読者に受け入れてもらうためには、説得力がすべてなのである。

　レポート・卒論は、いくつかの小さな主張（段落・章レベルの主張）と、それらを元にした大きな主張（結論）とからなる（**図3**）。つまり、主張が階層構造を成している。本章の説明は、どの段階の主張にも当てはまることである。ただし便宜上、説明に用いるレポート例はどれも、段落レベルの主張である。

　**要点6**に、説得力のある主張とはどういうものなのかをまとめた。以下で、それぞれについて説明していく。

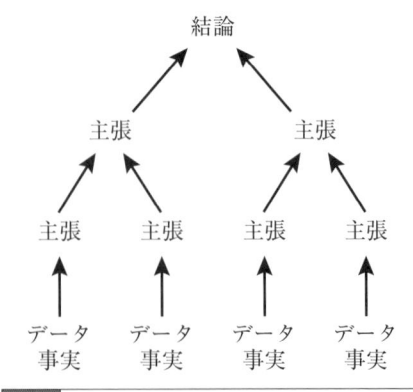

**図3　レポート・卒論における主張の構造**
いくつかの小さな主張（段落・章レベルの主張）と、それらを元にした大きな主張（結論）とからなる。

> **要点6**
>
> **説得力のある主張とは**
> 1. そう主張する理由（根拠）を述べている
> 2. 理由は、確かなデータ・事実に基づいている
> 3. 理由は論理的である
>    ① 論理的に成り立つ主張をしている
>    ② その主張が否定される可能性も検討している
> 4. 他の仮説と比較して、その仮説の方が確からしいといえる
>
> ※推測を行ってもよい。ただし、推測であることを明確にすること。

## 3.1 そう主張する理由を述べている

　読者を説得するためには、**理由こそ命**である。「日本代表が強いのは寿司のおかげである」と声高に叫ぶだけでは、読者がこの主張に納得するはずがないのだ。そう主張する理由を必ず説明しないといけない。
　理由なしに主張してしまっている実例（を元に私が創作したもの）を見てみよう。

> **例8　物の感じ方に関わる人間の心理**
> 　同じ情景を見ても人によって感じ方は変わる。それはなぜであろうか。それは、私が考えるに、個人の心理が感じ方に影響しているからである。絶対的な美が無いように、1つの情景が醸し出す物も色々ありうる。その情景から何を引き出すのかを決めるのは個人の心理である。
> 　　　　　　　　　　　　　　　　　　　　　　（東北大レポートを元に創作）

　「個人の心理が感じ方に影響しているから」が書き手の主張だ。しかし、こう主張する理由はどこにも書いていない。これでは読者を説得することはできない。

上述したようにレポート・卒論は、いくつかの主張（含む結論）からなるものである。**すべての主張の理由を述べよう。**1つでも、理由なしの主張があってはならない。それでは、結論（全主張を統合した主張）の論拠も不完全ということであり、結論の説得力がなくなってしまう。

レポート・卒論を書きながら、理由なしに主張している部分はないか確認しよう。それには、そう主張する理由を自分で質問し、答えているのかどうかを吟味してみることである。

## 3.2　理由は、確かなデータ・事実に基づいている

そう主張する理由は、確かなデータ・事実に基づいていないといけない。出発点が信用できなかったら、その後の論理展開がどんなに立派であっても、その主張は納得してもらえないのだ。書き手は、論拠となるデータ・事実が信頼に足るものなのかどうかを吟味することから始めるべきである。

たまに見られるのが、データ・事実に基づくことなく、自分の思いを延々と綴ったレポート・卒論である。例を見てみよう。

> **例9　犬を飼おう**
>
> 　私たち現代人は寂しいのだ。その寂しさは、人付き合いだけでは満たすことができない。現代の人間関係は、自分の存在価値の否定をもたらすことばかりだからである。人は誰しも、「自分は必要とされている」という実感を求めているのだ。だから、犬を飼おう。犬は、愛してくれる人には素直に従い、すべてをゆだねる。犬を飼うことで現代人は、自分の存在価値を見いだすことができる。
>
> 　　　　　　　　　　　　　　　　　　　　（東北大レポートを元に創作）

犬を飼うべき理由を書いているレポートではある。しかし、確かなデータ・事実に基づいて主張するという発想はない。学術ならば、主張の拠り所を検討することから始めないといけない。たとえば、「現代人は寂しい」のかどうか、「現代の人間関係は、自分の存在価値の否定をもたらすこと

第3章　説得力のある主張とは

ばかり」なのかどうか等を、まずもって検討するべきである。

　「文献に書いてあるから」という理由で、「その事実は正しい」と無批判に受け入れるのも駄目である。文献を批判的に検討し、説得力のある主張だけを受け入れるようにしないといけない。

　文献の記述を無批判に受け入れている実例を見てみよう。

---

**例10　日本人はなぜ外交がうまくできないのか？**
**〜日本人の内向的性格〜**

（日本人は内向的であると論じた部分を抜粋）
現代の日本はこの「内向性の極」（＊）であるらしい。その例としてこのようなことがある。『自分へのこだわり』は内向性の極である。今日の若者の未婚率が急速に上昇しているのも当然である。共に子育てするにふさわしい異性を見つけ出す『配偶者選択行動』は、内向性が強ければ難しくなるからである。」（＊）
「では中高年はどうかといえば、うつ病の驚くべき増大がある。（略）人は抑うつ的になればなるほど、内向性の極へと向かう。人と積極的にかかわるのが、おっくうになるのである。」（＊）他にも、「社会的引きこもり」（＊）や「癒しブーム」（＊）などがあげられる。これに加えていじめによる自殺も内向性の極のひとつではないかと思われる。いずれも今日の日本人の内向性を指し示す社会現象である。
（酒井による注；＊付きの「」内は、中山治著『日本人の壁』の引用である）
（東北大レポートより）

---

　引用した記述は、根拠なく決めつけているように私は感じる。たとえば、「『自分へのこだわり』は内向性の極」「『配偶者選択行動』は、内向性が強ければ難しくなる」というのは本当なのか。いずれも、固定観念を捨て批判的に検討すべきことと思う。しかしこのレポートは、本の記述を無批判に受け入れてしまっている。残念ながらこれでは、このレポート自体の説得力も落ちてしまう。

　むろん、基本的な事実に関しては、批判的検討は何もない。たとえば、「日本代表がワールドカップ初出場を決めたときの監督は岡田　武である」

という記載は、「説得力があるか」などと検討するようなものではない。しかし、こうした基本的事実の記載も、いくつかの文献を調べて裏を取るようにしよう。

## 3.3 理由は論理的である

　データ・事実と、それらに基づく主張をつなぐのは論理である。だから、論理展開もしっかりしていないといけない。確かなデータ・事実に基づいていたとしても、論理展開がおかしければ、その主張は納得してもらえないのだ。

　論理的な主張をするためには、2つのことを守る必要がある。第1は文字通り、論理的に成り立つ主張をすることである。つまり、「XXなのでYYと言える」という論理の流れに欠陥がないことだ。第2に、その主張が否定される可能性も検討することである。つまり、その主張が「正しい可能性」だけを検討するのではなく、「正しくない可能性」も検討するということである。以下で、それぞれについて詳しく説明していこう。

### 3.3.1 論理的に成り立つ主張をしている

　データ・事実から主張を導く論理に欠陥があってはならない。論理的に成り立たないと読者が感じたら、その主張は決して受け入れてもらえない。例を見てみよう。

---

**例11　日本人の宗教と死生観**
（諸外国と異なり日本では、若者が宗教離れしている理由について論じた部分を抜粋）
若い日本人は宗教的な考え方から離れつつあるといえる。これには、現代の科学が関与していることは否定できまい。そもそも宗教に対立する単語は科学であるが、現代には科学の勢力がいっそう強まったといえる。科学の、五感で感じるものだけを真実とする考え方は、宗教よりいくらか信憑性がある

と感じていわば「科学教」の信者となっているのではないかと思う。
(東北大レポートより)

ここでの主張は、「科学の勢力がいっそう強まった」ために若い日本人の宗教離れが起きたということである。しかし、「科学の勢力がいっそう強まった」のは日本だけではない。世界中ほとんどの国でそうであろう。ならば、世界中で宗教離れが起きるはずである。日本人だけが宗教離れを起こすというのは論理的に成り立たない。

### 3.3.2 その主張が否定される可能性も検討している

あることを主張したいのならば、それが否定される可能性も検討しなくてはいけない。たとえば、「日本代表が強いのは寿司のおかげ」と主張したいとしよう。そのためには、「寿司のおかげ」という可能性と、「寿司のおかげではない」という可能性のどちらがデータ・事実に合うのか比較検討すべきである。その結果として「寿司のおかげ」であったのなら説得力がある。しかし、こうした比較検討なしに、「寿司のおかげ」に都合の良いデータ・事実だけを並べても説得力に欠ける。

実例(を元に創作したもの)を見てみよう。

**例12　納豆と健康**
納豆は、日本人の食卓に欠かせない食べ物である。なぜ、納豆は人気があるのか。それは、納豆は非常に健康に良い食べ物だからである。納豆は大豆からできているので、大豆の栄養成分がそのまま残っている。そのため、植物性タンパク質・ビタミンB・ミネラル類が豊富である。これら栄養成分のおかげで、納豆は身体に良いのだ。
(東北大レポートを元に創作)

このレポートは、「納豆は身体に良い」という主張をする気しかない。つまり、「初めに結論ありき」である。しかし学術ならば、「納豆は身体に良

い」「納豆は身体に悪い」「納豆は身体に良くも悪くもない」可能性を比較検討するべきである。その上で、「納豆は身体に良い」と結論するのなら説得力がある。

　私は、仮説を立ててそれを検証するという姿勢が重要であると述べた（第2部2.1節参照；p.28）。しかし、「初めに仮説ありき」と「初めに結論ありき」はまったく違う。前者は、データ・事実に照らし合わせ、「その仮説を支持」という可能性と「その仮説を否定」という可能性のどちらが成り立つのかを検討する。しかし後者は、「その結論は正しい」が出発点である。そして、都合の良いデータ・事実を並べ、結論の正しさを主張する。学術というより商品の宣伝である。

　例12ほど極端ではないにしても、その主張が正しくない可能性の検討が不十分なために説得力を欠くレポート・卒論は多い。

---

**例13　人はなぜ秋になると寂しさを感じるのか？**
**―気温変化が精神に与える影響―**

　人は、秋になると「寂しさ」や「人恋しさ」といった感情を抱くことが多いようだ。（略）秋に寂しさを感じるのはなぜだろうか。（略）この研究では、気温の低下が人間の精神に影響を与えることによって秋になると寂しさを感じるという仮説の検証を試みる。
（略）
① 　気温が低下し人間が寒さを感じる
　　　　　↓
② 　交感神経が優位になり、血管を収縮させ、身体から熱が逃げないようにする
　　　　　↓
③ 　この反応を大脳皮質が意識的な感情として認識する

つまり、交感神経優位になったことによる反応に対して大脳皮質がある種の勘違いを起こし、それを寂しさとして感じ取ってしまうのである。（以下略）
（東北大レポートより）

①②③の過程が正しいとしても、「それを寂しさとして感じ取ってしまう」とは限らないのではないか。怒りを感じ取ってしまう可能性だってあるかもしれない。また、寒さが寂しさを感じさせるというのなら、夜になって気温が下がるたびに寂しくなるように思う。「気温の低下は寂しさを感じさせない」可能性も検討すべきだ。

## 3.4 他の仮説と比較して、その仮説の方が確からしいといえる

　取り組んだ問題に対する解答候補（仮説）は複数あるはずだ。ならば当然、解答候補（仮説）それぞれを比較検討する必要がある。問題に解答するとは、**複数の解答候補（仮説）の中から、もっとも確かなものを選び出す**ということなのである。ある仮説が正しいと主張したいのならば、データ・事実に照らし合わせ、他の仮説よりもその仮説の方が確からしいことを示さないといけない（8.3.1項参照；p.136）。

　たとえば、日本代表の強さの秘密を説明する他の仮説として、「サーロインステーキのおかげ」「温泉のおかげ」などもありうる。日本代表の強さに関するデータ・事実にもっとも合致するのはどれなのか。どの仮説にも、データ・事実と非常によく合致する部分、あまり合致しない部分（致命的とはいわないまでも）がありうる。こうしたことを総合評価して、寿司仮説がもっともらしいと判定できるのか。もしそうなら、寿司仮説の説得力は増す。

## 3.5 確かな主張と推測とを区別する

　最後に、推測について述べておく。推測とは、拠り所となるデータ・事実に不確かな部分を含んだ主張である。こうした推測をしてはいけないと、前項までを読んで思ったであろうか。いや私は、推測をしてはいけないと言うつもりはない。推測が無意味なわけではないのだ。不確かな部分を埋め合わせることで、確かなデータ・事実に基づいた主張に転換しうるから

である。大切なのは、どの部分が不確かなのかを示すことである。そして、不確かなことに基づく推測であると明確にすることである。確かな主張との区別を付けているのなら、推測をすることは構わない。もちろん推測は、取り組んだ問題に対する確定の解答とはなりえない。補強すべきデータ・事実を示しつつ推測することで、解答に近づく道（そのデータ・事実を補強する）を示すことができるのだ。これが、学術における推測の役割の1つである。

# 第4章
# 序論の書き方

　序論は、レポート・卒論の目的・意義を述べるためにあるものである。意義を認めてもらえるかどうか、そのレポート・卒論に興味を持ってもらえるかどうかは、序論の良し悪しにかかっているといってよい。だから序論は、レポート・卒論の意義を明確にするために細心の注意を払って書かなくてはいけない。本章では、序論の書き方（**要点7**）を解説したい。

　本章では、序論の例がたくさん出てくる。いずれの例でも、引用文献の提示は省略している。実際には、他者の知見に関しては引用元を示すのであるが、簡略化のためにそれを行っていない。また、短めな例または短くした例を紹介している。これも簡略化のためである。実際の序論では、もっと長いものもごく普通にあると了解して欲しい。

　解答レポート・卒論を書く方は4.1～4.4節を読んで欲しい。説明レポートを書く方は4.1.1項と4.5節を読んで欲しい。

> **要点7**
>
> **序論で書くべきこと**
>
> 1. 解答レポート・卒論
>    - ◇ 何を前にして
>    - ◇ どういう問題に取り組むのか
>    - ◇ 取り組む理由は
>    - ◇ どういう着眼で（着眼理由も）　　　　どうしてやるのかの説得に必要な情報
>    - ◇ 何をやるのか
>
> 2. 説明レポート
>    - ◇ 何を前にして
>    - ◇ そのことをやる理由は（背景にある問題）　　どうしてやるのかの説得に必要な情報
>    - ◇ 何をやるのか

## 4.1　序論では何を書くべきなのか

では具体的に、序論では何を書くべきなのか。良い序論を書くためには、このことを理解しておくことが大切である。本節では、序論で書くべきことを説明する。

### 4.1.1　どうしてやるのかを説得する

読者を、積極的に読む気にさせるためにはどうすればいいのか。例として、人に頼んで何かをしてもらう場面を考えてみよう。このとき、どういう情報を相手に伝える必要があるのか。すぐに思い浮かぶのは、「何をやるのか」を伝えることである。やってもらいたいことの中身が伝わらないと話にならないから、この情報は不可欠である。では、たとえば、「ここに穴を掘って下さい」とあなたは頼む。そうすると相手は、「わかりました」と穴を掘り始めるであろうか。いやおそらく、穴を掘り始めようとはしないであろう。どうして穴を掘る必要があるのかわからないので、その

気になれないのだ。そこへ、「徳川幕府の埋蔵金が埋まっています」と、歴史文書を示して説明する（注；何兆円という財宝が埋まっているという伝説がある）。説得に成功したら、相手は、張り切って穴を掘り始めるであろう。どうして穴を掘るのか、その理由がわかったからだ。このように、人に何かをしてもらうためには、「**どうしてやるのか」を説得することが鍵**である。

　まったく同じことがレポート・卒論にも当てはまる。あなたのレポート・卒論を積極的に読む気にさせるためには、レポート・卒論で何をやるのかを伝え、かつ、それを行うことの学術的意義を説得しなくてはいけない。つまり、

> □　何をやるのか
> □　どうしてやるのか

の2つを明確にすることが序論の使命である。学術的意義を認めてもらえるかどうかは、「**どうしてやるのか」の説得力にかかっている**といってよい。

### 4.1.2　どうしてやるのかの説得のために必要な情報 説

　どうしてやるのかを説得するためには、以下の4つを説明する必要がある［解答レポート・卒論の場合。説明レポートについては4.5節（p.93）参照］。

> **どうしてやるのかの説得のために説明すべきこと**
> □　何を前にして
> □　どういう問題に取り組むのか
> □　取り組む理由は

> ☐ どういう着眼で（着眼理由も）

この4つが揃って初めて読者は、それをやることの意義を理解してくれる。埋蔵金の例では以下のようになる。

> 何を前にして：この下に、徳川幕府の埋蔵金がある。
> どういう問題に取り組むのか：埋蔵金を取り出す。
> 取り組む理由は：大金持ちになれる。
> どういう着眼で：穴を掘れば取り出せる。

「ここに穴を掘って下さい。徳川幕府の埋蔵金が埋まっています」と言われれば、これらを瞬時に理解してしまう。だから人は、「穴を掘る」ということをやってくれるのだ。
　この4つのどれか1つが欠けても、人を説得することはできない。埋蔵金の例で見てみよう。

> ✕ 何を前にして：この下に、徳川幕府の埋蔵金がない。

「実は、埋蔵金はないんです」と言われて掘る人などいやしない。

> ✕ 取り組む問題：埋蔵金を取り出すためではなく、筋力を強化するために穴を掘る。

これではやる気をなくす。「穴を掘る意味がわからない」と思ってしまうであろう。

> ✗ 取り組む理由：徳川家に没収されるだけで1文にもならない。

これまたやる気をなくす。まったくの掘り損である。

> ✗ 着眼：海の底に眠っているのであって、地面に埋まっているわけではない。

この場合は、穴を掘るなどそもそも的外れである。「他の方法を考えろ」と思うであろう。

このように、言うまでもなく自明な場合を除き、上記の4つ（p.61）を説明しないと人は動かないのだ。これら4つを説明した上で、そのレポート・卒論で何をやるのかを述べる。そうすれば説得力のある序論となる。

## 4.2 序論の5つの骨子 説

序論で書くべきことを、**要点7-1**（p.60）に改めてまとめた。どうしてやるのかの説得に必要な4つと、何をやるのかを合わせた5つを書くのである。そうすれば、説得力のある序論になる。

例を見てみよう。［］書きで各文の役割を添えているので、その役割に注目して読んで欲しい。

> **例14 説得力のある序論**
> **なぜ、日本代表は強いのか？：勝利を呼ぶ寿司仮説の検証**
> ［何を前にして］日本代表は強い。どの試合でも、その俊敏さで相手を翻弄している。
> ［取り組む問題］なぜ、日本代表は強いのであろうか。俊敏さの源は何なのだろうか。［取り組む理由］その理由を解明できれば、日本代表の継続的強化

> [着眼] 日本代表の選手は寿司が好きで、頻繁に食べているらしい。寿司は、非常に良質なタンパク質で栄養価が高い。もしかしたら寿司は、俊敏性の向上に役立つのかもしれない。日本代表が強い理由の1つは、寿司を食べて俊敏さを手にしているからであろうか。
> [何をやるのか] 本研究では、寿司を食べているから日本代表は強いという仮説の検証を試みる。

これならば、このレポート・卒論の意義を納得できるであろう。5つの骨子は以下の通りである。

> 何を前にして：日本代表は強い。その俊敏さで相手を翻弄している。
> どういう問題に取り組むのか：なぜ、日本代表は強いのか？　俊敏さの源は？
> 取り組む理由は：強さの秘密を解明できれば、日本代表の継続的強化に適用できる。
> どういう着眼で：寿司のおかげで俊敏性が向上？　寿司は良質なタンパク質。選手はよく食べている。
> 何をやるのか：寿司を食べているから強いという仮説を検証。

実例も見てみる。

> **例15　発言の真意を見極めるために**
> **〜会話のTPO・会話の相手との関係から〜**
> [何を前にして] 会話は、複雑化した現代社会を生きる上で必要不可欠な能力となっている。そこでしばしば、発言者の実際の発言内容と意図とが一致しないという事態が生じる。「この部屋は暑い」という言葉を例に出しても、文字通り「この部屋の中の温度は高い」という意味だけでなく、時には「冷たい飲み物が飲みたいから持ってきてほしい」という意味をも含む。[取

り組む理由］しかし、会話とは本来、意見や感情をお互いに伝え合うために行われる行為であり、会話での発言とそれに伴う意図は一致するべきものである。［取り組む問題］それではなぜ、会話での発言と発言者の意図とが必ずしも一致しないのであろうか。

［着眼］両者が一致しないということは、言い換えれば「発せられた言葉の文章はそのままであるが、その言葉は別の意味・内容を表している」ということである。ある単語、ひいては文章の語義は不変であるはずだから、会話が行われている時の状況が、単語ないし文章に別の意味を含ませていると思われる。［何をやるのか］そこで私は、会話が行われている時の状況、具体的には、交わされる会話自体の状況（会話のTPO）と会話する相手の状況（会話の相手との関係）に焦点を当て、会話での発言と発言者の意図とが必ずしも一致しない理由を調べていこうと思う。

（東北大レポートを一部改編）

> **何を前にして**：会話ではしばしば、実際の発言内容と意図とが一致しないことがある。
> **どういう問題に取り組むのか**：なぜ、両者が必ずしも一致しないのか？
> **取り組む理由は**：会話とは本来、意見や感情をお互いに伝え合うために行われる行為であり、会話での発言とそれに伴う意図は一致するべきものである。
> **どういう着眼で**：会話が行われている時の状況が、単語ないし文章に別の意味を含ませている？
> **何をやるのか**：交わされる会話自体の状況（会話のTPO）と会話する相手の状況（会話の相手との関係）に焦点を当て、会話での発言と発言者の意図とが必ずしも一致しない理由を調べていく。

5つの骨子それぞれの中身を確認しておく。

## 何を前にして

その問題に取り組む出発点である。「こういう現象がある」「こういう事実がある」「研究の現状はこうである」「これこれの技術開発が求められている」といったことがあり、それらがあるからこそその問題に取り組んだのだ。たとえば、「日本代表は強い」からこそ、その強さの秘密を探るわ

けである。会話の例（例15）では、「しばしば、発言者の実際の発言内容と意図とが一致しない」からこそ、その理由を調べるわけだ。

### どういう問題に取り組むのか

そのレポート・卒論で取り組む問題である。「何を前にして」で述べたことを踏まえ、そこから何らかの問題を提起する。日本代表の例では、「何を前にして：日本代表は強い」ことを踏まえ、「なぜ、日本代表は強いのか？」という問題を提起している。会話の例では、「何を前にして：しばしば、発言者の実際の発言内容と意図とが一致しない」を踏まえ、「なぜ、会話での発言と発言者の意図とが必ずしも一致しないのであろうか」という問題を提起している。

### 取り組む理由は

その問題に取り組む理由の説明である。それがどうして問題なのか、つまりは、問題意識の説明といってよい。この説明に説得力がないと、その問題に取り組む意義を認めてもらえない。日本代表の例では、「なぜ、日本代表は強いのか？」が取り組む問題であり、「強さの秘密を解明できれば、日本代表の継続的強化に適用できる」ことが、その問題に取り組む理由である。会話の例では、「なぜ、会話での発言と発言者の意図とが必ずしも一致しないのであろうか」が取り組む問題であり、「会話とは本来、意見や感情をお互いに伝え合うために行われる行為であり、会話での発言とそれに伴う意図は一致するべきものである」ことが取り組む理由である。

取り組む理由には2通りの書き方がある。

> 1　上位の問題の解決に繋がる
> その問題の解決が、上位の問題の解決のためにどうして必要なのかを説明。
> 2　その問題の解決自体に意義がある

> それが、問題としてどうして成り立つのか、どうして疑問なのか、どうして不思議なのかを説明。

　日本代表の例は、上位の問題の解決に繋がるという説明をしている（p.64の骨子参照）。会話の例は、その問題の解決自体の意義を説明している（p.65の骨子参照）。つまり、「会話での発言と発言者の意図とが必ずしも一致しない」ことがどうして疑問となるのか、その理由を説明している。どちらの説明の仕方がよいのかは、あなたのレポート・卒論で取り組む問題に応じて決まる。説得力が増す方を採用すればよい。

### どういう着眼で（着眼理由も含め）

　どういう点に着眼して、その問題の解決に取り組むのかということである。「何をやるのか」を行う理由の説明ともいえる。日本代表の例では、寿司が効いていそうだと着眼し、だから、「寿司を食べているから強いという仮説を検証」（何をやるのか）するとつなげている。会話の例では、「会話が行われている時の状況が、単語ないし文章に別の意味を含ませている」と着眼し、「交わされる会話自体の状況（会話のTPO）と会話する相手の状況（会話の相手との関係）に焦点を当て、会話での発言と発言者の意図とが必ずしも一致しない理由を調べていこう」（何をやるのか）とつなげている。

　着眼点となるのは、**取り組む問題に対する仮説か、取り組む問題の解決方法のアイディアのどちらかである**。日本代表の例も会話の例も、「寿司のおかげ」「会話が行われている時の状況が、単語ないし文章に別の意味を含ませている」という仮説がそれぞれ着眼点になっている。問題の解決方法のアイディアが着眼点となる例としては、下記の例16（p.69）を参照して欲しい。

　着眼点を述べるときは、そう着眼する理由も説明するようにしよう。日本代表の例でも、「日本代表の選手は寿司が好きで、頻繁に食べているら

しい。寿司は非常に良質なタンパク質で栄養価が高い」と着眼理由を説明している。ただし、着眼理由が自明な場合はわざわざ説明する必要はない。

　着眼点は、**そのレポート・卒論の売りとなるもの**である。「この着眼で問題解決できます」と訴えることで、あなたのレポート・卒論に読者を惹き付けることができるのだ。たいていの場合あなたには、同じ問題に取り組んでいる競争相手が存在する。課題が決められているレポートならば全員がそうだし、自由課題のレポートだって、似たような問題に取り組む競争相手がいるであろう。だから、着眼点をしっかりと訴えることが大切である。

　ただし、着眼点（着眼理由のみならず）を書くまでもないこともある。その問題に取り組むためにはその方法を採るに決まっているような場合などだ。たとえば、地球が温暖化してきていると気づき始めた当初、「地球は温暖化しているのか？」という問題に取り組んだレポート・卒論があったとする。この問題に挑むためには、温度変化のデータ解析をするに決まっている。着眼などという大袈裟なものはない。着眼点をわざわざ書かずとも、説得力のある序論ができるはずである。

## 何をやるのか

　取り組む問題を解決するために、そのレポート・卒論で行うことである。これは、取り組む問題とは違う。日本代表の研究では、「なぜ、日本代表は強いのか？」という問題に取り組むために、「寿司を食べているから強いという仮説を検証」する。会話の例では、「発言内容と意図とが一致しない」理由を調べるために、「交わされる会話自体の状況（会話のTPO）と会話する相手の状況（会話の相手との関係）に焦点を当て」調べるわけである。両者をきっちと区別すること、そして両者とも述べることを心がけて欲しい。

　これら5つの骨子を書く順番は2通りある（**図4**）。構成1と2とでは、取り組む問題と取り組む理由の順番だけが入れ替わっている。あなたが説

| 構成 1 | 構成 2 |
|---|---|
| 何を前にして<br><br>どういう問題に取り組むのか<br>取り組む理由は<br><br>どういう着眼で（着眼理由も）<br><br>何をやるのか | 何を前にして<br><br>取り組む理由は<br>どういう問題に取り組むのか<br><br>どういう着眼で（着眼理由も）<br><br>何をやるのか |

図4　5つの骨子を書く順番

構成1と2とでは、取り組む問題と取り組む理由の順番だけが入れ替わっている。段落立てを考えるときは、どちらの構成でも、取り組む問題と取り組む理由とを1つのまとまりとして扱う。つまりこの2つは、同じ段落の中でまとめて述べてしまうのが原則である。

明しやすい方を使えばよい。

　段落立てを考えるときは、どちらの構成でも、取り組む問題と取り組む理由とを1つのまとまりとして扱う（図4）。つまりこの2つは、同じ段落の中でまとめて述べてしまうことが原則である。他の3つの骨子は、それぞれ独立のものとして扱ってよい。たとえば例14（p.63）は、構成1の4つそれぞれを独立段落とした4段落構成である。ただし、この4つに分けるのはあくまでも基本原則である。あなたの論文に相応しい段落分けを考えればよい。

　以下、序論の骨子の例を2つあげる（序論本文は省略）。

---

**例16　雌雄異株植物（※）アオキにおいて、雄となる種子と雌となる種子の数の比は1対1か？：DNAを用いた性判定による解析**

**何を前にして**：ほとんどの動物種で、雄と雌は同数産まれてくる（1対1の出生性比）。

**どういう問題に取り組むのか**：雌雄異株の植物種において、雄となる種子と雌となる種子の数の比は1対1か？

**取り組む理由は**：植物でも1対1ならば、動植物を超えて、全生物に共通す

る根源的な要因があることになる。しかし、植物に関する情報は少ない。
**どういう着眼で**：発芽したばかりの幼植物（花をつけていない）の性は外見ではわからないけれど、DNA を調べれば判定できる。
**何をやるのか**：雌雄異株の植物種であるアオキを用いて、雄となる種子と雌となる種子の数の比を調べる。

※雌雄異株植物：雌雄が別個体になっており、雄花をつける雄個体と、雌花をつける雌個体とからなる。雌雄が別個体という点で、多くの動物と同様である。

（東北大レポートを改変）

**例17　放射能汚染への対策**
**何を前にして**：福島原発の事故により、膨大な土壌が汚染した。
**どういう問題に取り組むのか**：どの大きさの土壌粒子が汚染しているのか？
**取り組む理由は**：特定の大きさの粒子のみの汚染なら、効率的に除去できる。
**どういう着眼で**：微粒子のみが汚染されている？　放射線は、表面から降りかかる。大粒子の表面には小粒子が付着している。
**何をやるのか**：粒子の大きさと汚染度の関係を調べる。

（福島県立福島高校論文より）

## 4.3　悪い序論の例 ㊗

本節では、悪い序論の例を紹介する。序論の骨子のどれかがおかしいと、説得力がなくなってしまうことを見ていこう。

### 4.3.1　序論がない

序論なしに、いきなり本題に入っているレポートが稀にある。こうしたレポートは論外である。問題提起なしに話を進めても、読者がついていけるはずがないのだ。例を見てみよう。

> **例14（p.63）の改悪例1　序論がない**
> ［薄字：改悪前の文　太字：改悪後の文］
>
> ［何を前にして］日本代表は強い。どの試合でも、その俊敏さで相手を翻弄している。
>
> ［取り組む問題］なぜ、日本代表は強いのであろうか。俊敏さの源は何なのだろうか。［取り組む理由］その理由を解明できれば、日本代表の継続的強化に役立てることができるであろう。
>
> ［着眼］日本代表の選手は寿司が好きで、頻繁に食べているらしい。寿司は、非常に良質なタンパク質で栄養価が高い。もしかしたら寿司は、俊敏性の向上に役立つのかもしれない。日本代表が強い理由の1つは、寿司を食べて俊敏さを手にしているからであろうか。
>
> ［何をやるのか］本研究では、寿司を食べているから日本代表は強いという仮説の検証を試みる。
>
> **そこで、日本代表の選手が1年間に寿司を食べた回数と、その年の試合成績との関係を調べてみた。その結果、寿司をたくさん食べた年ほど勝利数が多いことがわかった。次に、日本代表の選手に寿司を絶ってもらう実験を行った。（以下略）**

　こういうレポート・卒論を読むと読者はいらつく。取り組む問題も、その解決のために何をやるのかもわからないまま、いきなり本題に入ってしまっているからだ。読者は、いったい何をやろうとしているのかと苛立ちながら読み進めることになる。

　こうした序論を書いてしまう理由は、タイトルで問題提起をしたつもりになっているためだと思う。「なぜ、日本代表は強いのか？：勝利を呼ぶ寿司仮説の検証」と書いてあるので、読者はもうわかっていると思ってしまうのだ。しかし、本文を読むとき、タイトルは読者の意識から消えているのが普通である。そして読者は、序論に問題提起を求める。それにそもそも、タイトルという短い中で、読者を納得させる問題提起をすることなど不可能である。

　序論を書いて、しっかりと問題提起をすること。これが絶対条件である。
　実例も見てみよう。

> **例18　ミミズから始める有機農業**
>
> 　［何を前にして］近代の農業は生産効率を重視するあまりに化学肥料や化学合成農薬を大量に使い、（略）問題が生じています。化学肥料の大量使用によって、土からミミズや微生物を追い出し本来の土の生命力をなくしてしまったことや、化学合成農薬によって農薬中毒などの健康被害、農産物への残留、環境の汚染などがあります。そこで食の安全性の問題、人体への被害、農薬の環境被害の対抗策として「有機農業」というものが広がりつつあります。（略）化学肥料や、化学合成農薬を使わない（無農薬）、土のもつ生命力を活かした農業です。（略）［取り組む問題？］有機農業を行う第一歩として、有機農業の根本となる土の生命力を高めることが大事です。（略）［着眼？］まずは土の中に住むミミズを増やすことが効果的です。
>
> 　ミミズは生きている植物を囓ることもあり、ミミズによる食害で農作物の採集量が減る事があります。また、病気になった植物を食べて、移動する事によって、病気の伝搬をする事があります。（略）
>
> 　しかしミミズにはその害を補うだけの素晴らしい能力があります。そこでミミズの働きを紹介したいと思います。ミミズの働きは大きく分けて3つあります。1つめは糞をするということである。（以下略；ミミズの説明が続く）
>
> （東北大レポートより）

　有機農業におけるミミズの役割の話をしたいらしいが、いつのまにか本題に入ってしまっている。これでは、ミミズの役割に関して何をやるのかわからない。

　課題が与えられているレポートでは、序論を書かずに済ませてしまう人が少なくない。取り組む問題は了解済みと思ってしまうためであろう。しかしそれでは駄目だ。教員は、取り組む問題の意義をいかに的確に理解しているのかも評価の対象とするのだ。「他者に読ませる」レポート——誰が読んでも目的・意義が理解できる——としての完成度も評価する。だから、課題が与えられている場合も、序論をきちっと書くようにしよう。

第4章　序論の書き方

> **例18の改善案**
> ［薄字：削除した文　太字：書き換えた文、または書き加えた文］
> 　［何を前にして］近代の農業は生産効率を重視するあまりに化学肥料や化学合成農薬を大量に使い、（略）問題が生じています。化学肥料の大量使用によって、土からミミズや微生物を追い出し本来の土の生命力をなくしてしまったことや、化学合成農薬によって農薬中毒などの健康被害、農産物への残留、環境の汚染などがあります。そこで食の安全性の問題、人体への被害、農薬の環境被害の対抗策として「有機農業」というものが広がりつつあります。（略）化学肥料や、化学合成農薬を使わない（無農薬）、土のもつ生命力を活かした農業です。［取り組む問題］**有機農業を行う第一歩として、有機農業の根本となる土の生命力を高めるにはどうすればよいでしょうか。**
> ［取り組む理由］**無農薬にしようと有機肥料を与えようと、土に生命力がないことには作物は育たないのです。**［着眼］土の生命力を高めるためには、まずは土の中に住むミミズを増やすことが効果的です。**有機肥料を与えるのだから、その分解者が必要なわけです。**［何をやるのか］**本レポートでは、土の生命力を高めるミミズの働きについて述べます。**

これならば、このレポートの目的を理解できるであろう。

### 4.3.2　取り組む問題を述べていない

　次は、取り組む問題を述べていない例である。

> **例14（p.63）の改悪例2　取り組む問題を述べていない**
> ［薄字：改悪前の文　太字：改悪後の文］
> 　［何を前にして］**日本代表は強い。どの試合でも、その俊敏さで相手を翻弄している。**
> 　［取り組む問題］なぜ、日本代表は強いのであろうか。俊敏さの源は何なのだろうか。［取り組む理由］その理由を解明できれば、日本代表の継続的強化に役立てることができるであろう。
> 　［着眼］**日本代表の選手は寿司が好きで、頻繁に食べているらしい。寿司は、非常に良質なタンパク質で栄養価が高い。もしかしたら寿司は、サッカー選手の俊敏性の向上に役立つのかもしれない。日本代表が強い理由の**

> 1つは、寿司を食べて俊敏さを手にしているからであろうか。[何をやるのか]本研究では、寿司を食べているから日本代表は強いという仮説の検証を試みる。**寿司を食べることと試合成績との関係を調べる。**[取り組む理由]この知見は、日本代表の継続的強化に役立てることができるであろう。

「寿司を食べることと試合成績との関係を調べる」（太字部の1文目）は、何らかの問題を解決するために行うことである。しかしこれでは、どういう問題を解決するためにこれを行うのかが伝わらない。

　実例も見てみよう。

> **例19　フランス語へ直訳できない日本語について**
> 　[何を前にして]書店に行けば、多くの翻訳された本が売っているし、テレビを見れば通訳がリアルタイムに日本語に訳している。こんな国際社会において、翻訳作業は不可欠である。[取り組む理由]しかし、日本人とフランス人では、生活環境も違えば歴史も違う。あるシテュエーションで、日本人が使う表現とは全く違ったセンスでフランス人は会話することもあるのである。
> 　（略）「行って来ます」という日本語表現である。この表現は、フランスでは「A ce soir!」（また、今晩ね！）と言うのである。どちらにしても雰囲気としては同じであるが、言っている内容は全く違う。[何をやるのか]このレポートでは、そのような直訳できないような日本語とフランス語の関係について述べていきたい。
>
> （東北大レポートより）

「直訳できないような日本語とフランス語の関係について述べ」るのは、何らかの問題を解決するために行うことのはずである。しかし残念なことに、取り組む問題を書いていない。そのため、何のためにそれをやるのか伝わらない序論になってしまっている。

> **例19の改善案**
> [太字：書き加えた文]
>   [何を前にして]書店に行けば、多くの翻訳された本が売っているし、テレビを見れば通訳がリアルタイムに日本語に訳している。こんな国際社会において、翻訳作業は不可欠である。[取り組む理由]しかし、日本人とフランス人では、生活環境も違えば歴史も違う。あるシチュエーションで、日本人が使う表現とは全く違ったセンスでフランス人は会話することもあるのである。
>   (略)「行って来ます」という日本語表現である。この表現は、フランスでは「A ce soir!」（また、今晩ね！）と言うのである。どちらにしても雰囲気としては同じであるが、言っている内容は全く違う。[取り組む問題]**自然な翻訳をするためには何が重要となるのであろうか。どうすれば、直訳できない言葉を自然に訳すことができるのであろうか。**[何をやるのか]このレポートでは、そのような直訳できないような日本語とフランス語の関係について述べていきたい。

これならば、どういう問題に取り組むために直訳できない言葉の関係について調べるのかわかるであろう。

### 4.3.3 その問題に取り組む理由を述べていない

その問題に取り組む理由を述べていない序論は非常に多い。日本代表の例を改悪してみよう。

> **例14（p.63）の改悪例3**　その問題に取り組む理由を述べていない
> [薄字：削除した文]
>   [何を前にして]日本代表は強い。どの試合でも、その俊敏さで相手を翻弄している。
>   [取り組む問題]なぜ、日本代表は強いのであろうか。俊敏さの源は何なのだろうか。[取り組む理由]その理由を解明できれば、日本代表の継続的強化に役立てることができるであろう。
>   [着眼]日本代表の選手は寿司が好きで、頻繁に食べているらしい。寿司

> は、非常に良質なタンパク質で栄養価が高い。もしかしたら寿司は、俊敏性の向上に役立つのかもしれない。日本代表が強い理由の1つは、寿司を食べて俊敏さを手にしているからであろうか。
> ［何をやるのか］本研究では、寿司を食べているから日本代表は強いという仮説の検証を試みる。

取り組む理由がないと、どうしてこの問題に取り組むのかと思ってしまうであろう。

　実例も見てみよう。

> **例20　なぜ、日本人のマナーは良いのか〜「恥の文化」から読み解く〜**
> ［何を前にして］日本人のマナーの良さについて、マスメディアで取り上げられることがよくある。インターネットにおいて、来日した外国人による反応も数多く見られる。また東日本大震災の時には、日本の新聞やテレビ以外に、海外からもかなり多くの記事として取り上げられた。
> ［取り組む問題］それでは、なぜ日本人のマナーはここまで評価されるのだろうか。［着眼・何をやるのか］日本人に特有の文化である「恥の文化」から考察していく。
> 
> （東北大レポートより）

取り組む問題は、なぜ、日本人はマナーが良いのかである。この問題に取り組む理由の説明はない。それでも、「マナーの良さは確かに不思議」と、それなりに納得するかもしれない。しかし考えてみると、なぜ、「日本人のマナーが良い理由」が取り組むべき問題となるのだろうか。以下の改善案のように、問題となる理由（取り組む理由）を明確にすれば説得力が増すであろう。

> **例20の改善案**
> ［太字：書き加えた文］
> 　［何を前にして］日本人のマナーの良さについて、マスメディアで取り上げられることがよくある。インターネットにおいて、来日した外国人による反応も数多く見られる。また東日本大震災の時には、日本の新聞やテレビ以外に、海外からもかなり多くの記事として取り上げられた。
> 　［取り組む問題］それでは、なぜ日本人のマナーはここまで評価されるのだろうか。［取り組む理由］**日本人である私には、マナーが良いことは気持ちの良いことであり、社会生活を円滑に進める要素の１つに思える。だから、どの国においてもマナーの良さが発達するように思う。にもかかわらず、日本人のマナーが特筆されている。**［着眼・何をやるのか］日本人に特有の文化である「恥の文化」から考察していく。

　取り組む理由として、「日本人のマナーが良いのはなぜか？」という疑問を抱く理由を言葉にしてみた。これがあることで、すんなりと納得できる序論になったと思う。

### 4.3.4　興味・関心を抱いたから／わかっていないからやるのか

　次は、取り組む理由が、「興味・関心を抱いたから」「わかっていないから」というだけのものである。

**興味・関心を抱いたから**

　日本代表の例を改悪してみる。

> **例14（p.63）の改悪例4**　興味・関心を抱いたから調べる
> ［薄字：改悪前の文　太字：改悪後の文］
> 　［何を前にして］日本代表は強い。どの試合でも、その俊敏さで相手を翻弄している。
> 　［取り組む問題］なぜ、日本代表は強いのであろうか。俊敏さの源は何なのだろうか。［取り組む理由］その理由を解明できれば、日本代表の継続的強化

> に役立てることができるであろう。**私は、このことに興味を持った。**
> 　［着眼］日本代表の選手は寿司が好きで、頻繁に食べているらしい。寿司は、非常に良質なタンパク質で栄養価が高い。もしかしたら寿司は、俊敏性の向上に役立つのかもしれない。日本代表が強い理由の１つは、寿司を食べて俊敏さを手にしているからであろうか。
> 　［何をやるのか］本研究では、寿司を食べているから日本代表は強いという仮説の検証を試みる。

　日本代表が強いことに興味を持った。それゆえ、強さの秘密を調べるという論理である。しかしこれで読者は、この研究の意義を認めてくれるであろうか。

　実例も見てみよう。

> 　　　　例21　里親制度と不妊治療―私たちは何に惑わされているのか―
> 　ある日、朝日新聞の朝刊に、卵子提供についての社説が掲載されていた（略）。以前から興味を持っていた内容だったので非常に興味を惹かれた。その社説には「養子という選択肢にも目を向けたい」と書かれていたため、［取り組む問題］不妊治療と養子縁組の関係に［取り組む理由］興味を持ち、調べることにした。［何をやるのか］本レポートでは不妊治療と養子縁組、それに関心を寄せる夫婦にはどのような心理的な機微があるのかを考えながら、両者についてまとめる。
> 　　　　　　　　　　　　　　　　　　　　　　　　　　（東北大レポートより）

　取り組む問題は、「不妊治療と養子縁組の関係」である。取り組む理由は「興味を持ち」これだけである。これでは、不妊治療と養子縁組の関係に取り組む意義がわからない。

　例14の改悪例４と例21の論理はこうだ。

> 　Ａについて調べます。
> 　なぜなら、Ａに興味があるからです。

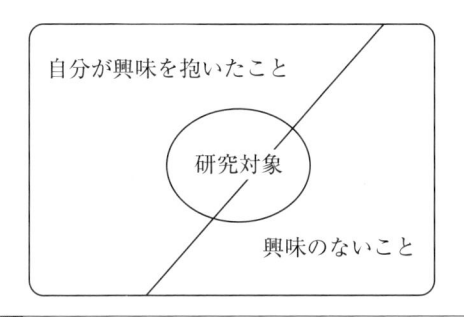

**図5 興味があることと研究対象となることとの関係**

研究対象となりうるのは、自分が興味があることの一部だけである。

この論理は、以下のように人に頼むのと同じである。

> ここに穴を掘って下さい。
> なぜなら、穴に興味があるからです。

こう言われて穴を掘る人はいない。ところがレポート・卒論となると、このような論理で「読んで下さい」と読者に頼んでしまう著者がいるのだ。

　自分が興味・関心を抱いたことと、学術の対象となることとは必ずしも一致しない（**図5**）。学術の対象となるのは、**自分が興味・関心を抱いたことの内の一部**である。たとえば、自分の祖先がどういう人物なのか興味がある人は多いだろう。しかし、祖先の人物像を調べることは、（通常は）個人の趣味の範疇である。

　レポート・卒論では、何らかの学術的な問題に取り組まなくてはいけない（第1部1.1節参照；p.2）。ならば当然、自分が興味・関心を抱いたからという理由だけで、その問題に取り組んでよいはずがない。それが学術的な問題であることを説明しないといけないのだ。「自分の興味・関心」ではなく、「読者の興味・関心」にすることである。例21も、以下のよう

に説明すればよい。

> **例21の改善案（全面改訂している）**
> ［何を前にして］晩婚化が進むとともに、望みながらも子どもに恵まれない夫婦が増えている。そうした夫婦の救いの1つが不妊治療である。［取り組む理由］しかし不妊治療には、仕事との両立の難しさや肉体的負担といった問題がある。そもそも、成功が保証されているわけではなく、高齢になるほど成功率が下がる。［取り組む問題］したがって、不妊治療以外の、夫婦の夢をかなえる方法も確立する必要がある。［着眼］現在、いろいろな事情で、養い親を必要としている児童が多数いる。遺伝的つながりはなくとも、深い愛情によって親子の絆を育てることができるのではないだろうか。［何をやるのか］本レポートでは、不妊治療に代わる選択肢として養子縁組を推進するために解決すべき課題について検討する。

これならば、このレポートの意義を読者は認めてくれるであろう。

ここで私が言っているのは、自分が興味・関心を抱いたことに取り組むなという意味ではもちろんない。自分の興味・関心は非常に大切である（第2部1.1.1項参照；p.24）。興味・関心があり、かつ、学術の対象となることに取り組むべしということである。

### わかっていないから

これは、卒論に限定しての話である。つまり、未解決の問題に取り組み、その問題の解決に何らかの貢献をしようとしている研究（第1部1.4節参照；p.11）についてのことだ。

こうした研究では、「わかっていないからやる」という論理の序論がけっこう多い。たとえば、例14の改悪例4（p.77）第2段落の太字部を以下のように変えてみる。

> 例14（p.63）の改悪例5　わかっていないから調べる
> ［薄字：改悪前の文　太字：改悪後の文］
> 　［何を前にして］日本代表は強い。どの試合でも、その俊敏さで相手を翻弄している。
> 　［取り組む問題］なぜ、日本代表は強いのであろうか。俊敏さの源は何なのだろうか。［取り組む理由］その理由を解明できれば、日本代表の継続的強化に役立てることができるであろう。**しかし、その強さの秘密はわかっていない。**
> 　［着眼］日本代表の選手は寿司が好きで、頻繁に食べているらしい。寿司は、非常に良質なタンパク質で栄養価が高い。もしかしたら寿司は、俊敏性の向上に役立つのかもしれない。日本代表が強い理由の1つは、寿司を食べて俊敏さを手にしているからであろうか。
> 　［何をやるのか］本研究では、寿司を食べているから日本代表は強いという仮説の検証を試みる。

　この序論の論理はこうである。

> ❶　Aを明らかにする。
> ❷　なぜならば、Aが明らかになっていないからだ。

これは、以下のように人に頼むのと同じである。

> ❶　ここに穴を掘って下さい。
> ❷　なぜなら、ここに穴が無いからです。

こう言われて穴を掘る人はいない。
　世の中には、穴が無いところが無数にある。その中で穴を掘る価値があるのは、徳川幕府の埋蔵金が埋まっているなどの特定の場所だけである。

穴を掘って欲しかったら、そこを掘ることの価値を説明しないといけないのだ。

同様に、世の中には、わかっていないことが無数にある。その中で研究する価値があるのは、やはり特定のものだけである。わかっていないことの多くは、そもそも研究する価値がないのだ。たとえば、「あん」「いろは」「うーにゃ」など名前がア行で始まる犬と、「さくら」「じゅり」「そら」などのサ行で始まる犬との平均体重の比較。このようなことを調べた人は（おそらく）いないので、体重に違いがあるのかどうかはわかっていない。でも、そんなことを調べてどうするのだと思うであろう。

ただし、「わかっていないから」を理由に挙げてはいけないとか、序論に「わかっていないから」と書いてはいけないとは思わないで欲しい。私が駄目だと言っているのは、「わかっていないから」というだけの理由ですませてしまうことである。たとえば、以下の論理には説得力がある。

❶ Aを明らかにすることを目的とする。
❷ Aを明らかにすることには、これこれの学術的意義がある。
❸ しかし、Aは明らかになっていない。

序論に❸を書く必要があるのかどうかは文章の流れによるであろう。いずれにせよ、わかっていないことが重要な理由であることに変わりはない。例14の改悪例5（p.81）の論理に説得力がないのは、「わかっていない」という理由だけですませているからである。

### 4.3.5　問題解決のための着眼を述べていない

次は、問題解決のための着眼点・着眼理由を述べていない例である。
まずは、着眼点も着眼理由も述べていない例を見てみよう。

第 4 章　序論の書き方

> **例14（p.63）の改悪例 6**　問題解決のための着眼点・着眼理由を述べていない
> ［薄字：削除した文］
> 　［何を前にして］日本代表は強い。どの試合でも、その俊敏さで相手を翻弄している。
> 　［取り組む問題］なぜ、日本代表は強いのであろうか。俊敏さの源は何なのだろうか。［取り組む理由］その理由を解明できれば、日本代表の継続的強化に役立てることができるであろう。
> 　［着眼］日本代表の選手は寿司が好きで、頻繁に食べているらしい。寿司は、非常に良質なタンパク質で栄養価が高い。もしかしたら寿司は、俊敏性の向上に役立つのかもしれない。日本代表が強い理由の１つは、寿司を食べて俊敏さを手にしているからであろうか。
> 　［何をやるのか］本研究では、寿司を食べているから日本代表は強いという仮説の検証を試みる。

これでは、寿司が突然出て来て戸惑うばかりであろう。寿司仮説を検証する（最後の下線部）理由が理解できない。自明な場合を除き、着眼点・着眼理由をきちんと書かないといけない。

　次は、着眼点は述べているものの、着眼理由を述べていない例である。

> **例14（p.63）の改悪例 7**　問題解決のための着眼理由を述べていない
> ［薄字：削除した文］
> 　［何を前にして］日本代表は強い。どの試合でも、その俊敏さで相手を翻弄している。
> 　［取り組む問題］なぜ、日本代表は強いのであろうか。俊敏さの源は何なのだろうか。［取り組む理由］その理由を解明できれば、日本代表の継続的強化に役立てることができるであろう。
> 　［着眼］日本代表の選手は寿司が好きで、頻繁に食べているらしい。寿司は、非常に良質なタンパク質で栄養価が高い。もしかしたら寿司は、俊敏性の向上に役立つのかもしれない。日本代表が強い理由の１つは、寿司を食べて俊敏さを手にしているからであろうか。
> 　［何をやるのか］本研究では、寿司を食べているから日本代表は強いという

> 仮説の検証を試みる。

　この例では、何の理由もなく寿司に着眼している。これでは、どうして寿司なのかという疑問を読者は抱いてしまう。着眼理由もきちっと説明しないといけない。

　実例も見てみよう。

> **例22　睡眠における夢の解明〜夢をコントロールする〜**
> 　［何を前にして］人間にとって夢はとても不思議なものである。楽しい夢を見たり、悲しい夢を見たり、苦しい夢を見たりする。また、その夢を覚えていたり、忘れてしまったりする。研究が進み、夢は睡眠時に脳が作り出しているということがわかっている。（略）［取り組む理由］人間は一日の三分の一は睡眠である。（略）夢をコントロールすることで楽しい時間を過ごすことが出来たら、非常に有意義なのではないかと考えた。［取り組む問題］そこで本当に夢をコントロールすることは可能なのか［何をやるのか］検証してみることにする。
>
> 　　　　　　　　　　　　　　　　　　　　　（東北大レポートより）

　どうやって夢をコントロールしようというのか。着眼点（および着眼理由）の説明がないので、先行きが読めないレポートになってしまっている。

> **例22の改善案**
> ［薄字：削除した文　太字：書き加えた文］
> 　［何を前にして］人間にとって夢はとても不思議なものである。楽しい夢を見たり、悲しい夢を見たり、苦しい夢を見たりする。また、その夢を覚えていたり、忘れてしまったりする。研究が進み、夢は睡眠時に脳が作り出しているということがわかっている。（略）［取り組む理由］人間は一日の三分の一は睡眠である。（略）夢をコントロールすることで楽しい時間を過ごすことが出来たら、非常に有意義なのではないかと考えた。［取り組む問題］そこで本当に夢をコントロールすることは可能なのか。[着眼] **明晰夢というものがある。夢を見ながら、これは夢であると自覚している夢のことである。**

第4章 序論の書き方

ときには夢の展開を変えることができるらしい。[何をやるのか]**明晰夢を意識的に見ることで夢をコントロールする可能性**を検証してみることにする。

これならば、明晰夢に着眼して夢のコントロールに挑むことがわかるであろう。

### 4.3.6 問題解決のために何をやるのかを述べていない

最後は、問題解決のために何をやるのかを述べていない例である。

---

**例14（p.63）の改悪例8** 　問題解決のために何をやるのかを述べていない
[薄字：改悪前の文　太字：改悪後の文]
　[何を前にして]日本代表は強い。どの試合でも、その俊敏さで相手を翻弄している。
　[取り組む問題]なぜ、日本代表は強いのであろうか。俊敏さの源は何なのだろうか。[取り組む理由]その理由を解明できれば、日本代表の継続的強化に役立てることができるであろう。
　[着眼]日本代表の選手は寿司が好きで、頻繁に食べているらしい。寿司は、非常に良質なタンパク質で栄養価が高い。もしかしたら寿司は、俊敏性の向上に役立つのかもしれない。日本代表が強い理由の1つは、寿司を食べて俊敏さを手にしているからであろうか。
　[何をやるのか]本研究では、寿司を食べているから日本代表は強いという仮説の検証を試みる。**日本代表が強い理由の解明を試みる。**

---

太字部が研究目的のつもりである。しかしこれは取り組む問題の繰り返しである。問題解決のために何をやるのかがこれではわからない。

　取り組む問題と、問題解決のためにやることとは異なる（「何をやるのか」の項目参照；p.68）。「なぜ、日本代表は強いのか」という問題を解決するために寿司仮説の検証を行うのである。問題解決のために何をやるのかも書かないと、そのレポート・卒論で具体的に行うことが伝わらなくなってしまう。

実例も見てみよう。

> **例23　無題**
> ［何を前にして］現代社会は、ストレス社会と呼ばれ、うつ病などの精神病にかかる現代人は多いというイメージがある。また、これはメディアを通してもよく叫ばれている。［取り組む問題］しかし、精神病ははたして本当に増加しているのだろうか。［取り組む理由］昔から人間がストレスを感じるということは存在していたはずではないのだろうか。
> （東北大レポートより）

これで序論は終わりである。しかしこれでは、精神病は本当に増加しているのかという問題に取り組むために何をやったのかわからない。

> **例23の改善案**
> ［太字：書き加えた文］
> ［何を前にして］現代社会は、ストレス社会と呼ばれ、うつ病などの精神病にかかる現代人は多いというイメージがある。また、これはメディアを通してもよく叫ばれている。［取り組む問題］しかし、精神病ははたして本当に増加しているのだろうか。［取り組む理由］昔から人間がストレスを感じるということは存在していたはずではないのだろうか。**［着眼］現代と昔とでは情報量が違い、精神病に対する理解度も上がっている。このため、精神病としての症状は同じであっても、現代の方が、それを自覚して受診する人が増えた可能性がある。［何をやるのか］精神病として来院する患者の特徴の変化を見ることで、精神病の実数が増えているのかどうかを検討する。**

これならば、精神病は本当に増えたのかという問題解決のために何をやったのか理解できるであろう。

## 4.4 説得力のある序論にするために 説

本節では、説得力のある序論にするためのコツを紹介する。

### 4.4.1 序論の骨子の練り方

まず初めに、序論の5つの骨子（**要点7**；p.60）の練り方を紹介しよう。結論を元に、逆順に骨子を練るのがコツである（**図6**）。

①**結論を決める**　まずは結論を明確にする（その方法は2.1節参照；p.45）。日本代表の研究の場合、結論は以下であった。

> 結論：日本代表が強いのは寿司を食べているから。

これを出発点に、以下の順番で骨子を練っていく。

②**何をやるのかを確定する**　レポート・卒論で提示する結論を出すために

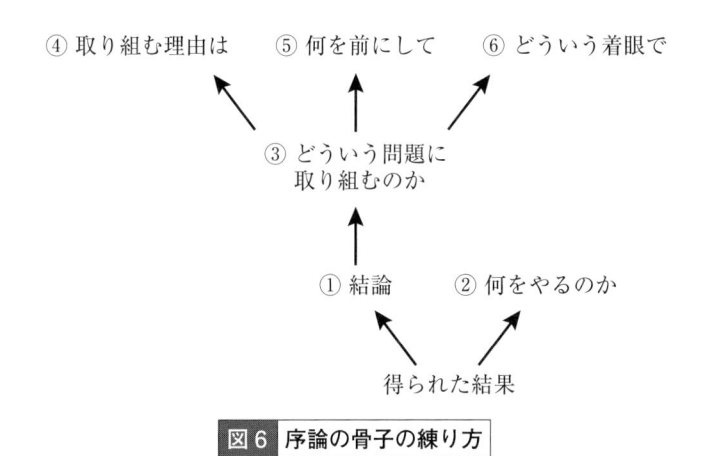

④ 取り組む理由は　　⑤ 何を前にして　　⑥ どういう着眼で

③ どういう問題に
　　取り組むのか

① 結論　　② 何をやるのか

得られた結果

**図6　序論の骨子の練り方**

得られた結果を元に番号順に練っていく。

やったことを列記してみよう。日本代表の研究の場合、以下のようになる。

> やったこと：
> ❶ 日本代表の選手が1年間に寿司を食べた回数と、その年の勝利数との関係を調べた。
> ❷ 日本代表の選手が寿司を絶ったら、その後の試合の成績が落ちるのかどうかを調べた。
> ❸ 他国の選手が寿司を食べ始めたら、その後の試合の成績が上がるのかどうかを調べた。

次に、何のためにこれらをやったのかを、短い言葉にまとめてみよう。

> 何をやるのか：日本代表が強いのは寿司を食べているからという仮説を検証。

これが、「何をやるのか」だ。

③**取り組む問題を確定する**　結論を元に取り組む問題を決めよう。結論に対応した問題にしてしまうのだ（2.2節参照；p.46）。日本代表の研究の結論は、「日本代表が強いのは寿司を食べているから」である。これに対応した問題は以下のようになる。

> 取り組む問題：なぜ、日本代表は強いのか？

　取り組む問題を、結論に直結したものにすることも重要である。たとえば、日本代表の研究はこのような構造になっている。

> 最上位の問題：日本国民を幸せにする。
> より上位の問題：日本代表を強くする。
> 上位の問題：継続的強化策の立案。
> 直結問題：なぜ、日本代表は強いのか？
> 結論：寿司のおかげ。

　レポート・卒論に取り組んだ当初は、最上位やより上位の問題を思い描いていたかもしれない。しかし、それらをそのままそのレポート・卒論で取り組む問題にしてしまうと、問題に直接は答えていないレポート・卒論になってしまう。取り組む問題と結論とが直結していることを必ず確認しよう。

**④取り組む理由と⑤何を前にしてを考える**　この2つは一緒に考えるとよい。

　取り組む理由の説明では、取り組む問題が「問題である理由」を説明する。その問題の解決が必要な理由や、そのことに疑問を感じた理由を説明すればよい（詳しくは4.4.2項参照；p.90）。「何を前にして」では、取り組む問題を提起するために、前もって述べておきたい情報を述べる。日本代表の研究では、取り組む問題は、「なぜ、日本代表は強いのか？」である。これを元に以下のように当てはめる。

> 取り組む理由：強さの秘密を解明できれば、日本代表の継続的強化に適用できる。
> 何を前にして：日本代表は強い。その俊敏さで相手を翻弄している。

　すでに説明したように（「取り組む理由は」の項目参照；p.66）、取り組む理由の説明には2通りの書き方がある。あなたのレポート・卒論に合った方を用いよう。

❻**着眼を整理する**　どういう点に着眼して問題を解決しようとしたのかを振り返ろう。着眼とは、取り組む問題に対する仮説か、取り組む問題の解決方法のアイディアのどちらかである（「どういう着眼で（着眼理由も含め）」の項目参照；p.67）。また、それに着眼した理由も思い起こそう。日本代表の研究の場合、以下のようになる。

> **着眼点**：寿司のおかげで俊敏性が向上？
> **着眼理由**：寿司は良質なタンパク質。選手はよく食べている。

ただしすでに述べたように（p.68）、着眼点を書くまでもないか、着眼点は書く必要があるけれど着眼理由は不要な場合もある。

　これで、序論の骨子はできあがりである。後は、**図4**（p.69）の順番に並べ替えて肉付けをしていけばよい。
　慣れないうちは、「何を前にして」「取り組む理由」「着眼」を明確にするのに苦労するかもしれない。でも、途中で投げ出さずに考え抜いて欲しい。学術的意義のある研究をやっているのならば、これら3点を必ず見出せるはずである。

### 4.4.2　その問題に取り組む理由を説得するために

　レポート・卒論の意義を認めてもらえるかどうかは、その問題に取り組む理由の説明にかかっている。それだけに取り組む理由は、書くことが難しい部分である。本項では、その書き方の補足説明をする。
　取り組む理由を書く目的を一言でいうならば、読者の興味関心に訴えることである。その問題が自分の興味関心に関わるとわかれば、読者は、その問題に取り組む意義を認めてくれる。
　ではどうすれば、読者の興味関心に訴えることができるのか。それは、**読者が興味関心を持つところまで遡って、その問題に取り組む意義を説明**

することである。

　たとえば、以下の2つの序論を読み比べてみよう（取り組む問題の提示の部分までしか書いていない）。

> **例24　権力の座に就く方法**
> ［何を前にして］権力の座に就いた人は、指導者としての力量を持っていたから、その地位に就くことができた。［取り組む理由］しかし、指導者としての力量はありながら、権力の座に就くことができなかった人もいる。［取り組む問題］権力の座に就くためには、指導者としての力量以外に何が必要なのであろうか。
>
> （東北大レポートを元に創作）

> **例25　立派な穴を掘る方法**
> ［何を前にして］立派な穴を掘った人は、力持ちであったからその穴を掘ることができた。［取り組む理由］しかし、力持ちでありながら、立派な穴を掘れない人もいる。［取り組む問題］立派な穴を掘るためには、力以外に何が必要なのであろうか。

　多くの人は、例24で取り組む問題の意義を認めたと思う。「指導者としての力量はありながら、権力の座に就くことができなかった人もいる」（取り組む理由）と指摘されると、「指導者としての力量以外に何が必要なのか」と確かに思うからである。一方、例25で取り組む問題の意義は認め難い人が多いのではないか。「立派な穴を掘る方法を調べてどうするのか？」と思ってしまうためである。しかし、例24と例25の論理構成は同じである。どちらも、

❶　Aであることが必要である。
❷　しかし、Aであれば十分というわけではない。

❸ では、Aの他に何が必要なのか。

という論理で説得しているのだ。

　読者の反応が違うのはなぜなのか。それは、たいていの人は、権力の座に就く方法に多かれ少なかれ興味関心を抱いているのに対し、立派な穴を掘る方法には興味関心を抱いていないためである。だから権力の座に就くのには、指導者としての力量があるだけではだめ（取り組む理由）という説明があれば、「権力の座に就くために必要なことは何だろう？」と疑問に思ってくれる。これに対し穴の例では、力持ちというだけではだめ（取り組む理由）と説明されても、「立派な穴を掘れるようになったとしてそれが何なの？」と思ってしまう。

　読者に意義を認めてもらうためには、以下のように、読者の興味関心に遡って取り組む理由を説明することである。

> 例25の改善案
> ［太字：書き加えた文］
> 　［何を前にして］立派な穴を掘った人は、力持ちであったからその穴を掘ることができた。［取り組む理由］しかし、**力持ちでありながら、立派な穴を掘れない人もいる。立派な穴を掘る方法を確立することは、徳川幕府の埋蔵金を取り出すために必要である。**［取り組む問題］立派な穴を掘るためには、力以外に何が必要なのであろうか。

これならば納得するであろう。

　権力の座の問題は、読者の興味関心の中に始めからある。だから、このような遡った説明は不要なのだ。

## 4.5 説明レポートの序論 ㊙㊗

　本節では、説明レポート（何らかの事柄を説明するレポート）の序論の書き方を説明する。なお、本節の前に、4.1.1項（p.60）を読んでおいて欲しい。解答レポートまたは卒論を書く方は、本節は読み飛ばしてよい。

　説明の都合上、本節の内容の一部と4.1節（p.60）の内容の一部は重複している。

### 4.5.1　序論は必要

　何らかの事柄を説明するレポートでは序論が不要と思うかもしれない。たとえば、「統合失調症について説明せよ」という課題を与えられたとする。これに対し、「統合失調症は精神疾患の1つであり、……」と、いきなり説明を始めればよいと。課題は明白なのだから序論はいらない？

　しかし、序論なしに説明を書き始めてはいけない。教員がこの課題を出したのは、統合失調症について正しく理解しておくことが重要だからである。その理解が、統合失調症に関する何らかの学術的問題の解決に繋がるのだ。そして教員は、どういう問題に繋がるのかを正しく捉えていることも評価の対象とする。だから、序論を書き、どうして統合失調症の説明をするのか（「課題だから」ということではなく）、その理解がどうして重要なのかを示す必要がある。

　何らかの事柄を説明するレポートでは、「何をやるのか」（4.1.1項参照；p.60）に相当するのが、「その事柄を説明すること」である。そしてやはり、そのレポートを読もうという気にさせるためには、どうしてそれを説明するのか（どうしてやるのか）の説得が鍵である。たとえば、道行く人に、穴の掘り方の説明を聞いて欲しいと思ったとする。「穴の掘り方を説明するので聞いて下さい」と声をかけても、誰も立ち止まってくれないであろう。どうしてその話を聞く必要があるのかわからないからだ。「ここに徳川幕府の埋蔵金が埋まっています。取り出すためには、穴の掘り方を知る必要があります」と説明すれば話を聞いてくれる。「説明をす

る」という行為に対しても、その意義を説得することが大切なのである。

### 4.5.2　どうしてやるのかの説得のために必要な情報

どうしてやるのかを説得するためには、以下の2つを説明する必要がある。

> **どうしてやるのかの説得のために説明すべきこと**
> ☐　何を前にして
> ☐　そのことをやる理由は（背景にある問題）

この2つが揃って初めて読者は、その事柄を説明する意義を理解してくれる。埋蔵金の例では以下のようになる。

> **何を前にして**：この下に、徳川幕府の埋蔵金がある。
> **そのことをやる理由は（背景にある問題）**：埋蔵金を取り出す。そのためには、穴の掘り方を知る必要がある。

このうちのどちらが欠けても、人を説得することはできない。

> ×　**何を前にして**：この下に、徳川幕府の埋蔵金がない。

埋蔵金がないのなら、掘り方の説明を聞くのは無駄である。

> ×　**そのことをやる理由は（背景にある問題）**：埋蔵金を取り出すためではなく、筋力を強化するために穴を掘る。

これではやる気をなくす。やはり、掘り方の説明を聞く気が失せる。

このように、上記の2つを説明しないと人は動かないのだ。これらを示した上で、そのレポートで何を説明するのかを述べる。そうすれば説得力のある序論となる。

### 4.5.3 序論の3つの骨子

説明レポートの序論で書くべきことを、**要点7-2**（p.60）に改めてまとめる。どうしてやるのかの説得に必要な2つと、何をやるのか（何を説明するのか）を合わせた3つを書くのである。そうすれば、説得力のある序論になる。

例を見てみよう。[ ]書きで各文の役割を添えているので、その役割に注目して読んで欲しい。

---

**例26　説得力のある序論**
〈課題〉日本代表の強さの特徴を説明せよ

［何を前にして］日本代表は強い。20XX年には、ワールドカップで念願の初優勝を遂げるなど、世界の最強国の仲間入りを果たしている。［そのことをやる理由］その強さの特徴を把握することは、日本代表の強化策を立てる上で必要である。なぜならば、長所をさらに伸ばし、短所をなくすためには、長所・短所を知っておく必要があるからである。［何をやるのか］本レポートでは、日本代表の強さの特徴を説明する。

---

これならば、このレポートの意義を納得できるであろう。3つの骨子は以下の通りである。

---

**何を前にして**：日本代表は強い。
**そのことをやる理由は（背景にある問題）**：強さの特徴を把握することは、日本代表の強化策を立てる上で必要である。

**何をやるのか**：日本代表の強さの特徴を説明する。

他の例も見てみる。

**例27 〈課題〉統合失調症について説明せよ**
［何を前にして］統合失調症は、発症率が１％にのぼり、ときには死に至る重篤な病気である。そのため、病因・治療法に関してさまざまな研究が行われている。しかし、十分な成果が得られていない。［そのことをやる理由］適切な治療方法の選択や研究の方向性を考えるために、統合失調症の現状を整理する必要がある。［何をやるのか］統合失調症の症状・病因・治療法について、現在までにわかっていることをまとめる。

（酒井による創作）

**何を前にして**：統合失調症は重篤な病気である。病因・治療法に関して、十分な研究成果が得られていない。
**そのことをやる理由は（背景にある問題）**：適切な治療方法の選択や研究の方向性を考えるために、統合失調症の現状を整理する必要がある。
**何をやるのか**：統合失調症の症状・病因・治療法について、現在までにわかっていることをまとめる。

３つの骨子それぞれの中身を確認しておく。

## 何を前にして

　レポートの出発点である。「こういう現象がある」「こういう事実がある」「研究の現状はこうである」「これこれの技術開発が求められている」といったことがあり、それらがあるからこそその課題が課せられたのだ。たとえば、「日本代表は強い」からこそ、その強さの特徴を説明することが課題として成り立つのである。統合失調症の研究では、病因・治療法に関して「十分な成果が得られていない」からこそ、その症状・病因・治療法をまとめるわけだ。

## そのことをやる理由は（背景にある問題）

　そのレポートでそれをやる理由の説明である。何らかの事柄について説明するのならば、その背景には必ず、何らかの学術的問題がある。その、背景にある問題を説明するのだ。日本代表の例では、「日本代表の強さの特徴を説明する」がそのレポートでやることであり、「強さの特徴を把握することは、日本代表の強化策を立てる上で必要である」が背景にある問題である。統合失調症の例では、「統合失調症の症状・病因・治療法について、現在までにわかっていることをまとめる」がやることであり、「適切な治療方法の選択や研究の方向性を考えるために、統合失調症の現状を整理する必要がある」が背景にある問題である。

## 何をやるのか

　これは、そのレポートの課題そのものである。「○○について説明せよ」「○○をまとめよ」などという課題に対して、「○○について説明する」「○○をまとめる」が、そのレポートでやることである。

　これら3つの骨子を、「何を前にして」「そのことをやる理由は」「何をやるのか」の順番で書く。基本的には、これらを1つの段落に書いてしまってよい。そして次の段落で、事柄の説明に入る。

### 4.5.4　悪い序論の例

　本項では、悪い序論の例を紹介する。日本代表のレポートを例に、序論の骨子のどれが欠けても説得力がなくなることを見ていく。
　まずは、何を前にしてを述べていない例である。

---

**例26（p.95）の改悪例1　何を前にしてを述べていない**
［薄字：改悪前の文　太字：改悪後の文］
　［何を前にして］日本代表は強い。20XX年には、ワールドカップで念願の初優勝を遂げるなど、世界の最強国の仲間入りを果たしている。［そのことを

やる理由］その**日本代表の強さの特徴を把握すること**は、日本代表の強化策を立てる上で必要である。なぜならば、長所をさらに伸ばし、短所をなくすためには、長所・短所を知っておく必要があるからである。［何をやるのか］本レポートでは、日本代表の強さの特徴を説明する。

これでは、「日本代表の強さの特徴を把握すること」という課題がどこから出てくるのかわからない。何を踏まえてのことなのか（何を前にして）を書かないと、唐突な印象を受けてしまう。出題者である教員は当然知っているからと、省略してはいけない。誰が読んでも納得できるレポートを書くことも評価の1つなのである。

次は、そのことをやる理由を述べていない例である。

---

例26（p.95）の改悪例2　そのことをやる理由を述べていない
［薄字：削除した文］
　［何を前にして］日本代表は強い。20XX年には、ワールドカップで念願の初優勝を遂げるなど、世界の最強国の仲間入りを果たしている。［そのことをやる理由］日本代表の強さの特徴を把握することは、日本代表の強化策を立てる上で必要である。なぜならば、長所をさらに伸ばし、短所をなくすためには、長所・短所を知っておく必要があるからである。［何をやるのか］本レポートでは、日本代表の強さの特徴を説明する。

---

これだと、「日本代表の強さの特徴を説明する」ことの意義が伝わらない。上述のように、意義を理解していることを示すことも大切である。

最後は、何をやるのかを述べていない例である。

---

例26（p.95）の改悪例3　何をやるのかを述べていない
［薄字：削除した文］
　［何を前にして］日本代表は強い。20XX年には、ワールドカップで念願の初優勝を遂げるなど、世界の最強国の仲間入りを果たしている。［そのことを

> やる理由］日本代表の強さの特徴を把握することは、日本代表の強化策を立てる上で必要である。なぜならば、長所をさらに伸ばし、短所をなくすためには、長所・短所を知っておく必要があるからである。［何をやるのか］本レポートでは、日本代表の強さの特徴を説明する。
> ［本題］第１の特徴は、選手が俊敏であることである。（以下略）

そのレポートでやることを述べずに本題に入ってしまうと、レポートの目的がわからずに読者は戸惑うばかりである。繰り返すが、出題者である教員だけではなく、誰が読んでもわかるレポートにしなくてはいけない。

### 4.5.5　例外的な序論

　説明レポートの中には、これまでの説明とは異なった形の序論を書くものもある。本項では、そうした例外の代表例を２つ説明する。

#### 序論不要

　比較的短い文字数が指定されているレポート（300字以内で説明とか）では序論は不要である。こうしたレポートではおそらく、その課題を行うことの意義の説明は求められていない。たとえば、「日本代表の強さの特徴を300字以内で説明せよ」という課題に対しては、「日本代表の強さの特徴はその俊敏性にある。つまりは（以下略）」と、序論なしにいきなり書き出してよい。

#### 何を前にしてと何をやるのかのみを書く

　レポートの中には、ある学術的事柄の把握・現状整理等を行うことの意義を問う課題もある。たとえば、「日本代表の強さの特徴を把握することの意義を説明せよ」「統合失調症の症状・病因・治療法の現状整理をすることの意義を説明せよ」といった課題のレポートである。こうしたレポートは、上記３つの骨子のうちの「そのことをやる理由は（背景にある問題）」の説明を求めている。となると、この骨子を序論でも述べるのは不

自然である。だから、以下のように書いていけばよい。

> **例28 〈課題〉日本代表の強さの特徴を把握することの意義を説明せよ**
> ［何を前にして］日本代表は強い。20XX年には、ワールドカップで念願の初優勝を遂げるなど、世界の最強国の仲間入りを果たしている。［何をやるのか］本レポートでは、その強さの特徴を把握することの意義を説明する。
> ［本題］意義は2つある。第1に、長所を知ることにより、それをより伸ばす継続的強化法を考えることができることである。（以下略）

このように、何を前にしてと何をやるのかだけを述べて、本題に入ってしまえばよい。

# 第5章
## タイトルの付け方

本章では、タイトルの付け方（**要点8**）を解説する。なぜ、タイトルが大切なのか。良いタイトルとはどういうものなのか。良いタイトルを付けるにはどうすればいいのか。以下で、これらのことを考えていきたい。

---

**要点8**

**良いタイトルの付け方**

1. 良いタイトルとは
   ① 一読で理解できる
   ② どういうレポート・卒論なのか想像がつく
2. 解答レポート・卒論のタイトル
   ① タイトルに入れる情報
      ◇ 取り組む問題
      ◇ 問題解決のための着眼点（着眼理由は不要。着眼点も、書くまでもないこともある）
      ◇ 研究対象（何かを対象に実験・調査等を行った場合に入れる。それ以外では不要）
   ② より良いタイトルにするコツ
      ◇「取り組む問題を述べる主題：問題解決のための着眼点を述べる副題」という形にする
3. 説明レポートのタイトル（以下のどちらかにする）
   ① 説明対象および結論的なことを述べる
   ② どういうことを説明するのかを短くまとめる

> ※「取り組む問題」「問題解決のための着眼点」はそれぞれ、序論で提示した、「どういう問題に取り組むのか」「どういう着眼で」（**要点7；p.60**）と同じものである。

## 5.1 良いタイトルを付けよう

　興味を持ってレポート・卒論を読んでもらいたいと思うのなら、良いタイトルを付けることが大切である。読者は、タイトルに惹かれて読む気を起こすからだ。興味を惹くタイトルならば、「どういうことが書いてあるのだろう」と期待しながら本文に向かう。かたや、興味を惹かないタイトルだと読む気が湧いてこない。タイトルひとつで、読者の気持ちは大きく変わってしまうのだ。

　これは、インターネット等で面白そうな記事を探す場合と同じである。あなたは、画面に並んだ記事タイトルを目で追い、面白そうな記事を探すであろう。タイトルが、その記事に惹き寄せられるかに大きく関わるのだ。レポート・卒論のタイトルにも同じような働きがある。だから、良いタイトルを付け読者を惹き付ける努力をしよう。

## 5.2 良いタイトルとは

　では、良いタイトルとはどういうものなのか。それは、**要点8-1**の2つを備えたものある。

### 一読で理解できる

　どういう意味なのかと読解させるタイトルはいけない。一度読めば理解できるようにしよう。そのためにはまず、意味を明解にするよう心がけることである。それに加え、**一読で理解できる長さ**にすることだ。長いと、それだけ読解が大変になる。頭の中で一度に理解できる長さにしよう。ただし、短ければ短いほどよいわけではない。一読で理解できる長さならば、

それで十分である。

**どういうレポート・卒論なのか想像がつく**
　タイトルを読めば、どういうレポート・卒論なのか想像がつくことも絶対条件だ。一読で理解できるものであっても、レポート・卒論の中身が伝わらないようでは駄目である。

　1つ釘を刺しておく。レポート・卒論は学術文書である。文芸作品でもなければ娯楽ドラマでもない。だから、文芸的なタイトルや抽象的なタイトルは駄目である。「吾輩は猫である」「伊豆の踊子」「赤毛のアン」「サザエさん」「進撃の巨人」といった類のタイトルを付けてはいけない。レポート・卒論のタイトルに趣などいらない。上記の2つこそが、レポート・卒論のタイトルに求められると思って欲しい。

## 5.3　良いタイトルの付け方：解答レポート・卒論の場合 説

　本節では、解答レポート・卒論のタイトルの付け方を説明する。説明レポートについては5.4節（p.113）を参照して欲しい。
　ここでの説明は、良いタイトルの条件の2つ目「どういうレポート・卒論なのか想像がつく」の達成に絞る。一読で理解できることに関しては第4部第3章（p.214）を参考にするように。

### 5.3.1　タイトルに入れる情報

　まずは、タイトルに入れるべき情報を考えていく。タイトルという短い中に、取り組む問題から研究手法・結果・結論まですべてを詰め込むのは不可能である。そのため、入れる情報を絞る必要がある。私のお奨めは、**要点8-2-①**（p.101）の3つを入れることである。たとえば、日本代表の研究では以下のようになる。

> **取り組む問題**：なぜ、日本代表は強いのか？
> **問題解決のための着眼点**：寿司のおかげ
> **研究対象**：日本代表

1つ目と2つ目は、序論の5つの骨子（**要点7**：p.60）の内の2つである。研究対象は、入れる必要がない場合もある。

以下で、これら3項目について詳しく説明する。

### 取り組む問題

そのレポート・卒論で取り組む問題を入れるのは当然だ。これがないと、どういうレポート・卒論なのかさっぱりわからない。

### 問題解決のための着眼点

私は、**着眼点をタイトルに入れることを強く推奨する**。着眼点は、その問題に、どういう視点から取り組むのかを示すものだからだ（「どういう着眼で（着眼理由も含め）」の項目参照；p.67）。たとえば、「なぜ、日本代表は強いのか？」とあるだけでは、どのようにしてこの問題に挑んだのかがわからない。「寿司のおかげ」という着眼点があればそれが伝わるであろう。着眼点を入れることで、「どういう問題にどのようにして取り組むのか」が明確になるわけである。

着眼点が大切なもう1つの理由は、着眼点が、レポート・卒論の売りとなるものであり、オリジナリティとなるものだからである（p.67参照）。タイトルで着眼点を積極的に訴えて、読者の興味を惹くようにすべきである。

ただし、着眼点を入れるまでもないこともある。序論の説明においても書いたように、着眼点として訴えるまでもない場合である（p.67参照）。

## 研究対象

何かを対象に実験・調査等を行った場合は、その研究対象もタイトルに入れる。たとえば、生物学ならば研究を行った生物種、天文学ならば観測した天体、心理学ならば被験者などを研究対象として入れる。研究対象があれば、「何を対象に、どういう問題にどのようにして取り組むのか」が伝わり、レポート・卒論の中身がより明確になるであろう。

上記以外の場合は研究対象は不要である。たとえば、下記の例31, 32（p.106）では、研究対象をとくに明記する必要もないであろう。

### 5.3.2　良いタイトルの例

では、良いタイトルの例を見ていこう。日本代表に関するレポート・卒論の場合は、こんなタイトルが良い。

> **例29**　なぜ、日本代表は強いのか？：勝利を呼ぶ寿司仮説の検証

実例も紹介しよう。

> **例30**　雌雄異株植物アオキにおいて、雄となる種子と雌となる種子の数の比は1対1か？：DNAを用いた性判定による解析
> （東北大レポートを改変）
> 問題：雌雄異株植物アオキにおいて、雄となる種子と雌となる種子の数の比は1対1か？
> 着眼：DNAを用いた性判定による解析
> 研究対象：アオキ
>
> ※雌雄異株植物：雌雄が別個体になっており、雄花をつける雄個体と、雌花をつける雌個体とからなる。雌雄が別個体という点で、多くの動物と同様である。

雌雄異株植物アオキは、雄となる種子と雌となる種子とを作る。その数の

比は、多くの動物と同様に1対1なのか？（問題）。発芽したばかりの幼植物（花をつけていない）の性は外見ではわからないけれど、DNAを調べれば判定できる（着眼）。

> **例31** 童話に残酷な描写は必要か〜「悪」が子どもにもたらす心理的成長から探る〜
> 
> （東北大レポートより）
> 
> 問題：童話に残酷な描写は必要か？
> 着眼：「悪」が子どもにもたらす心理的成長から探る

実をいうと童話には残酷な描写も多い。そうした描写は必要なのだろうか？（問題）。この問題を、「悪」が子どもにもたらす心理的成長から探る（着眼）。

> **例32** いじめはなぜ起こるのか〜傍観者の存在に着目して考察する〜
> 
> （東北大レポートより）
> 
> 問題：いじめはなぜ起こるのか？
> 着眼：傍観者の存在に着目して考察する

学校でのいじめはなぜ起こるのか？（問題）。傍観者という存在がその要因なのかもしれない（着眼）。

### 5.3.3 悪いタイトルの例

本項では、悪いタイトルの典型例を紹介しながら、どこに問題があるのか、どのように改善すべきかを解説していく。

#### タイトルなし

まず初めに、あまりにも当たり前なことを注意しておく。タイトルを書けということである。レポートの場合、タイトルなしにいきなり本題に

入っているものがあるのだ。タイトルは、「これから○○について調べる」ことを読者に伝える重要な役割を持つ。タイトルなしなど論外である。

「○○実習レポート」「○○講義レポート」と書いただけのレポートも、タイトルがないのと同じである。こうした「タイトル」は、課題が与えられているレポートや、実験・実習のレポートにありがちだ。こういう「タイトル」にしてしまうのは、取り組む問題は了解済みと思ってしまうためであろう。しかしすでに述べたように、課題を課した教員だけを読者と考えてはいけない（第1部1.5節参照；p.13）。何も知らない読者にも、あなたのレポートの中身が伝わるようにするべきである。さらには、同じ実験・実習を受け、同じデータ・事実を元にレポートを書いたとしても、問題解決のための着眼点（データ・事実のどこに着目するのか）は各人で異なりうる。タイトルで着眼点を訴え、教員の目を惹き付けるべきである（「どういう着眼で（着眼理由も含め）」の項目参照；p.67）。

### 調べた対象をタイトルにしただけ

　何について調べたのか、調べた対象をタイトルにしただけのものは多い。たとえばこんな感じだ。

```
例29の改悪例1　日本代表について
例30の改悪例1　雌雄異株植物アオキの種子の性
例33　日本の行事食について
例34　稲荷神社に鎮座する狐
例35　日本人の生活
　　　（例33；東北大レポートより　例34, 35；東北大レポートを元に創作）
```

これらのタイトルを読んで、レポート・卒論の中身（取り組む問題と着眼点）がわかるであろうか。「日本代表について」とだけ書かれても、日本代表に関するどういう問題に取り組むのかわからない。他のタイトルも同様である。たとえば「日本の行事食について」（例33）は、日本の行事食

に関する何を問題とするのだろうか。「日本人の生活」（例35）だって、取り組む問題の提示になっていない。日本人の生活にまつわる問題はいろいろありうる。その中の何に取り組もうとしているのか。**調べた対象を書くことと、取り組む問題を書くこととは異なる**。調べた対象を書いただけでは、取り組む問題（むろん、着眼点も）は伝わらないのだ。

　こういうタイトルになってしまう理由として、問題に取り組もうという意識を持たずに調べたためという可能性がある。つまり、何か「お題」を決めて、それに関する実験・調査・文献検索を行う。問題意識はなくとも、手を動かしさえすれば、何らかのデータ・事実等は出てくる。そして、「お題」をそのままタイトルにしてしまう。問題に取り組んだわけではないので、他に付けようがないのだ。しかしこれは本質的には、どこかの駅の時刻表を書き写し、「時刻表」と題する文書を書くのと同じだ。こうした文書はただの覚え書きであって、レポート・卒論とはなりえない。

　問題意識を持って調べたのならば、取り組む問題をタイトルに入れることは必ずできるはずである。タイトルで、取り組む問題を明確にすることを忘れてはいけない。

---

**例33の改善案**
× 日本の行事食について
○ 日本文化の特徴を行事食から探る
問題：日本文化の特徴
着眼：行事食から探る

**例34の改善案**
× 稲荷神社に鎮座する狐
○ なぜ、稲荷神社に狐がいるのか？：陰陽五行思想に由来を探る
問題：なぜ、稲荷神社に狐がいるのか？
着眼：陰陽五行思想に由来を探る

> **例35の改善案**
> × 日本人の生活
> ○ なぜ、日本人は自然に神を見るのか？：日本人における、生活と自然の関わりの影響
> 問題：なぜ、日本人は自然に神を見るのか？
> 着眼：日本人における、生活と自然の関わりが影響

このように直せば、レポート・卒論の中身がよくわかるであろう。

## 取り組む問題ではなく、問題解決のためにやったことを書いている

取り組む問題を書かずに、その問題を解決するためにやったことを書いているタイトルもある。

> **例29の改悪例2** 寿司が、日本代表の強さに及ぼす影響
> **例30の改悪例2** 雌雄異株植物アオキにおける、DNAを用いた種子の性判定
> 例36 日本人の英語学習のいまむかし〜明治期の英語学習から現代を振り返る〜
> 例37 フランス語へ直訳できない日本語について
> (例36, 37；東北大レポートより)

「寿司が、日本代表の強さに及ぼす影響」は、「なぜ、日本代表は強いのか？」という問題に解答するために調べたことである。「DNAを用いた種子の性判定」は、「雄となる種子と雌となる種子の数の比は1対1か？」という問題に解答するためにやったことである。問題解決のためにやったことよりも、取り組む問題の方が大切に決まっている。取り組む問題を書かずに、その解決のためにやったことだけを書くのは本末転倒である。例36, 37については、改善案を示してから説明しよう。

第3部　レポート・卒論の書き方

> **例36の改善案**
> × 日本人の英語学習のいまむかし〜明治期の英語学習から現代を振り返る〜
> ○ なぜ、日本人は英語ができないのか？：明治期に成立した英語学習の影響
> 問題：なぜ、日本人は英語ができないのか？
> 着眼：明治期に成立した英語学習が今も影響

例36では、「明治期に成立した英語学習が今も影響」と着眼し、今も昔も変わらぬ英語学習について調べている。これは、「なぜ、日本人は英語ができないのか？」という問題に解答するためにやったことである。

> **例37の改善案**
> × フランス語へ直訳できない日本語について
> ○ フランス語へ直訳できない日本語を例に探る、自然な翻訳のために重要なこと
> 問題：自然な翻訳のために重要なこと
> 着眼：フランス語へ直訳できない日本語を例に探る

例37では、フランス語へ直訳できない日本語について調べている。これは、「自然な翻訳のために重要なこと」という問題に解答するためにやったことである。改善案のように取り組む問題を明確にすれば、レポート・卒論の中身がきちっと伝わるであろう。

### 問題解決のための着眼点がない

　取り組む問題は書いているのだけれど、着眼点を書いていないタイトルもまた非常に多い。

| 例29の改悪例3 | なぜ、日本代表は強いのか？ |
|---|---|
| 例30の改悪例3 | 雌雄異株植物アオキにおいて、雄となる種子と雌となる |

第 5 章　タイトルの付け方

　　　　種子の数の比は 1 対 1 か？
　例38　地球温暖化を防ぐにはどうすればよいか
　例39　なぜレッドカーペットは赤いのか？

（例38, 39；東北大レポートより）

どの例も、どういう問題に取り組んだのかはよくわかる。しかし、どういう着眼で解答しようとしたのかがわからない。これは、書き手にとって損なことである。「問題解決のための着眼点」の項目（p.104）で述べたように、着眼点を訴えることは大切なのだ。

例38の改善案
×　地球温暖化を防ぐにはどうすればよいか
○　地球温暖化を防ぐにはどうすればよいか：個々人の日常生活の改善の効果
問題：地球温暖化を防ぐにはどうすればよいか？
着眼：個々人の日常生活を改善する

例39の改善案
×　なぜレッドカーペットは赤いのか？
○　なぜレッドカーペットは赤いのか？：ヨーロッパにおける赤い布の位置付け
問題：なぜ、レッドカーペットは赤いのか？
着眼：ヨーロッパにおける赤い布の位置付けに起因

着眼点がわかると、レポート・卒論の中身がくっきりと見えてくるであろう。

## どちらが取り組む問題で、どちらが着眼点なのかわからない

　取り組む問題と着眼点が書いてあっても、どれがそれらに当たるのかがわかりにくいようでは駄目だ。2つの事柄を並列しただけのタイトルがそ

の典型である。

> **例29の改悪例4** 日本代表の強さと寿司
> 例40　能と日本の宗教観について
> 例41　子どもの虐待と大学生のあるべき姿
>
> 　　　　　　　　　　　　　　　　（例40, 41；東北大レポートより）

例29の改悪例は、「日本代表の強さ」と「寿司」のどちらが取り組んだ問題でどちらが着眼点なのか。「寿司の人気が高いのはなぜなのか」という問題があって、「日本代表が強いことの効果である」という着眼かもしれない。同様に、「能」と「日本の宗教観」（例40）、「子どもの虐待」と「大学生のあるべき姿」（例41）という並列では、取り組んだ問題と着眼点が伝わらない。

> **例40の改善案**
> ×　能と日本の宗教観について
> ○　能の演目を通して知る、日本の宗教観
> 問題：日本の宗教観
> 着眼：能の演目を通して知る
>
> **例41の改善案**
> ×　子どもの虐待と大学生のあるべき姿
> ○　子どもの虐待をなくすために：大学生のときから考えておくべきこと
> 問題：子どもの虐待をなくす
> 着眼：大学生のときから考えておくべきことがある

このように、並列関係をやめて言葉を補足すれば、取り組む問題と着眼点が明確になる。

### 5.3.4 より良いタイトルにするコツ

最後に、より良いタイトルにするコツを紹介する。それは、

> 取り組む問題を述べる主題：問題解決の着眼点を述べる副題

にすることである（**要点8-2-②**；p.101）。こうした形のタイトルはわかりやすい。主題と副題とが明確に分離しているので、情報を読み取りやすいのだ。たとえば、例29, 30（p.105）を以下のようにしてみよう。

> | **例29の改悪例5** | 日本代表が強い理由を説明する、勝利を呼ぶ寿司仮説の検証
> | **例30の改悪例4** | 雌雄異株植物アオキにおいて、雄となる種子と雌となる種子の数の比は1対1なのかを、DNAを用いた性判定で検証する

元のものよりも明確さが落ちるであろう。主題・副題に必ず分けよとは言わないが、タイトルを明確にする手段として活用して欲しい。

## 5.4　良いタイトルの付け方：説明レポートの場合 ㊙㊣

本節では、説明レポートのタイトルの付け方を説明する。ここでの説明も、良いタイトルの条件の2つ目「どういうレポート・卒論なのか想像がつく」（**要点8-1-②**；p.101）の達成に絞る。一読で理解できることに関しては第4部第3章（p.214）を参考にするように。

まず初めに言っておきたい。**説明レポートにもタイトルを付けるように**。「○○について説明せよ」と課題が出ているのだからと、タイトルなしにいきなり説明を書き始めてはいけない。説明レポートも、課題を課した教員のみならず、広く読者を想定すべきものだからである（第1部1.5節参照；p.13）。タイトルなしでは、何に関するレポートなのかわからないで

はないか。

　では、どういうタイトルを付けるべきか。レポートの中身の想像がつくようにするためには、何について説明するのかを示すことが絶対条件である。それに加え、レポートの中身をさらに明確にする工夫をしよう。そのためには、**要点8-3**（p.101）の2つのどちらかにすることである。この2つの内の、あなたのレポートにあった方を採用すればよい。以下で、それぞれについて説明する。

### 5.4.1　説明対象および結論的なことを述べる

　説明対象および結論的なことを述べるタイトルとは以下のようなものである。

---

**例42**　〈課題〉日本代表の強さの特徴を説明せよ
　　　　〈タイトル〉日本代表の強さの特徴：選手の俊敏性の高さ

**例43**　〈課題〉遺伝子治療とは何か説明せよ
　　　　〈タイトル〉遺伝子治療とは？：遺伝病を根本的に治す治療法

**例44**　〈課題〉成年後見制度とは何か説明せよ
　　　　〈タイトル〉成年後見制度：高齢者の財産を守る仕組み

（いずれも創作）

---

このようにして、何について説明するのかと、結論的に短くまとめたこととを示す。そうすれば、レポートの中身がよくわかるであろう。

　スタイルとしては、上記の例のように

---

　説明対象を示す主題：結論的なことを述べる副題

---

を推奨する。主題と副題に分離しているので、何について説明するのかと

結論的なこととを明確に伝えることができるのだ。
　主題・副題をやめるとどうなるか。

> 例42の改悪例1　日本代表の強さの特徴は選手の俊敏性の高さにある
> 例43の改悪例1　遺伝子治療は、遺伝病を根本的に治す治療法である
> 例44の改悪例1　成年後見制度は、高齢者の財産を守る仕組みである

このように、結論を一文で述べる形になる。こういうタイトルはよくない。何について説明するのかわかりにくいからである。例42の改悪例1は、「日本代表の強さの特徴は？」について説明するのかもしれないし、「選手の俊敏性が活かされているチームは？」について説明するのかもしれない。例43の改悪例1は、「遺伝子治療とは？」について説明するのかもしれないし、「遺伝病の有効な治療法は？」について説明するのかもしれない。説明の主眼が異なると、レポートの中身も多少は異なるであろう。主題・副題を使わないと、レポートの中身が伝わりにくくなるのだ。

### 5.4.2　どういうことを説明するのかを短くまとめる
　説明することを短くまとめるタイトルとは以下のようなものである。

> 例45　〈課題〉日本代表の強さの特徴を説明せよ
> 　　　〈タイトル〉日本代表の強さの特徴：過去20年間の全試合の分析結果
>
> 例46　〈課題〉雌雄異株植物アオキにおいて、雄となる種子と雌となる種子の数の比が1対1である理由を説明せよ
> 　　　〈タイトル〉雌雄異株植物アオキにおいて、なぜ、雄となる種子と雌となる種子の数の比が1対1なのか？：ゲーム理論を用いた解析
>
> ※ゲーム理論：生物学や経済学において用いられる理論的な解析手法。

> 例47 〈**課題**〉統合失調症について説明せよ
> 〈**タイトル**〉統合失調症：その症状・病因・治療法
>
> （いずれも創作）

説明内容を具体化しているので、レポートの中身がわかりやすいであろう。

この場合も、主題・副題を用いることを推奨する。情報の区切りがつくと、やはりわかりやすいからである。ただし、5.4.1項の場合と違って、主題・副題を用いないとレポートの中身が伝わりにくくなるというわけではない。

### 5.4.3 何について説明するのかを示すだけでは駄目

最後に、何について説明するのかを示すだけでは駄目であることを述べておく。例を見てみよう。

> | 例42の改悪例2 | 日本代表の強さの特徴は何か？ |
> | 例43の改悪例2 | 遺伝子治療とは何か？ |
> | 例44の改悪例2 | 成年後見制度とは何か？ |

これでは、具体的にどういう説明がなされるのかがわからない。そのため、レポートの内容を訴えることができていない。説明レポートでは通常、多くの学生が同じ課題に取り組む。タイトルでアピールして、あなたのレポートに目を惹き付けさせるべきである。

# 第 6 章 研究方法の説明の仕方

本章では、自分でデータを取ったり解析したりしたレポート・卒論を対象に、研究方法の説明の仕方を解説する。教員の指導の下で実験・調査等の実習をしたレポート（実習レポートなど）や、文献から得られた情報を自身で解析したレポート・卒論や、何らかのデータを取った卒論などが主対象である。こうしたレポート・卒論では、研究方法を説明する章を立てる（1.2.1項参照；p.42）。この章を書く目的と、書くべき内容について説明していく。

データ取りや解析を自分でしたわけではない場合は、本章を読み飛ばしても構わない。

まず初めに念を押しておく。研究方法の説明ももちろん、読者を広く意識して書くということである（第1部1.5節参照；p.13）。とくにレポートの場合、当の教員は研究方法をわかっているのだからと、はしょって書いてしまいやすい。しかしそれでは駄目だ。あなたの研究に初めてふれる読者でも理解できるように丁寧に書かないといけない。

では、説明に入ろう。

---
**要点9**

**研究方法を説明する章の書き方**

1. 研究方法を書く目的
    ◇ 研究方法が適切であることを示す

> ◇ 読者が研究を再現できるようにする
> ◇ 研究方法を的確に理解していることを示す
> 2. 読者に示すべき情報
> ◇ 研究対象：現在形で書く
> ◇ 実験・調査等の狙い：過去形で書く
> ◇ 実験・調査等の方法：過去形で書く
> ◇ データ解析の方法：過去形で書く

## 6.1　研究方法の説明を書く目的

　研究方法の説明を書くときに一番大切なのは、この章を書く目的を理解していることである。目的は3つある（**要点9-1**）。以下で、それぞれについて説明していこう。

### 6.1.1　研究方法が適切であることを示す

　そのレポート・卒論の結論を導くための論理展開は、研究方法の説明からすでに始まっていると心得るべきである。なぜならば、研究方法が適切だからこそ得られたデータは信用できるのであり、信用できるデータがあるからこそ主張を展開できるからである。

　つまり、研究方法が適切であることを示すことは、**そのレポート・卒論の結論を支える土台を築き上げること**である。たとえば、実験や調査の方法に疑問を抱かれたら、データを信用してもらえなくなる。そうなると、その後の論理展開がどんなに美しくても、レポート・卒論の結論を読者は決して受け入れてくれない。だから、データに対する信用を得るために、研究方法が適切であることを説得しなくてはいけない。

### 6.1.2　読者が研究を再現できるようにする

　そのレポート・卒論を読めば、読者が研究を再現できるようにしておくべきだ。誰かが、あなたのレポート・卒論を読んで、研究方法を参考にす

るかもしれないからである。とくに卒論の場合は、後輩が、あなたの研究テーマを引き継いだり、関連したテーマに取り組んだりする可能性がある。後輩のためにも、研究方法を記録としてきちっと残すようにしよう。また、あなた自身が、卒論のテーマを発展させた研究を大学院で行うかもしれない。研究方法の細かいところを忘れないためにも、「備忘録」のつもりで研究方法を書き残しておこう。

### 6.1.3　研究方法を的確に理解していることを示す

　レポートの場合はとくに、研究方法を的確に理解していることを示すことが大切である。「わかっていてやっている」のかどうかは、教員から見ると重要な評価点なのだ。個々の調査・実験等の目的と方法をきちっと書き、自分のものにしていることを示そう。

## 6.2　読者に示すべき情報

　**要点 9 - 1**（p.117）の 3 つの目的を果たすためには、要するに、研究方法についての情報を漏らさず説明することである。読者に示すべき情報を**要点 9 - 2**（p.118）にまとめたので、日本代表に関する研究を例に説明していこう。

---

**例48　なぜ、日本代表は強いのか？：勝利を呼ぶ寿司仮説の検証**

**研究対象**
　日本は、サッカー最強国の 1 つである。1998年のフランスワールドカップに初出場して以来、全ワールドカップに出場し続けている。20XX年のワールドカップで悲願の初優勝を遂げた。選手は皆、寿司が好きなことで知られている。

**調査・実験方法**
*寿司を食べた回数とその年の勝利数との関係*

日本代表の選手が1年間に寿司を食べた回数とその年の勝利数との関係を調べるために以下の調査を行った。選手へのアンケートおよび選手常連の寿司店での記録から、選手1人あたりが1年間に寿司を食べた回数の平均を推定した。調査は2014年までさかのぼって行い、2014～2022年のデータを得た。次に、調査をした各年の試合から、対戦相手の実力が揃うように10試合を選んだ。選定は、対戦相手の実力のみに基づいて機械的に行った。そして、それら各10試合における勝利数を調べ、寿司を食べた回数との関係を見た。

*寿司を食べるかどうかの操作実験*
　寿司を食べることと試合の成績の因果関係を調べるために以下の操作実験を行った。実験は2022年に行った。
1）日本代表の選手に、試合前の2週間寿司を絶ってもらうということを7試合に対して行った。そして試合成績を、寿司を絶たなかった試合とで比較した。対戦相手の実力は揃えた。
2）海がないため、寿司はもちろん鮮魚も手に入りにくいであろう国の選手に寿司を食べ続けてもらう実験も行った。そうした国としてスイスとパラグアイを選定した。そして、両国の代表選手に、試合前の2週間寿司を食べ続けてもらうということを7試合に対して行った。そして試合成績を、寿司を食べなかった試合とで比較した。対戦相手の実力は揃えた。

**統計処理の方法**
　一般化線形モデルを用いて以下の3つを解析した。解析にはR 5.1（R Core Team 2022）を用いた。
・選手1人あたりが1年間に寿司を食べた回数の平均と、その年の勝利数との関係。
・日本代表の選手が寿司を絶った場合と絶たなかった場合での勝利数の違い。
・スイス代表およびパラグアイ代表の選手が寿司を食べた場合と食べなかった場合での勝利数の違い。

酒井による注
＊一般化線形モデル；統計手法の1つ
＊R 5.1（R Core Team 2022）；解析ソフトの説明。R Core Team 2022が開発したRというソフトのバージョン5.1を用いたことを示す。

以下で、**要点9-2**（p.118）の各項目について説明していこう。

## 6.2.1　研究対象

　実験・調査等を行った対象の、素性・由来・特徴などを明記することを心がけよう。これらをきちんと書くことは、対象の個性が研究結果に影響しうる分野（生物学・農学など）ではとくに大切である。たとえば生物学や農学では、どの生物が対象なのかによって結果が変わってくることも多い。研究に用いた生物の種名・遺伝学的系統・産地などを書いて、研究対象を特定できるようにしよう。例48の場合、まず初めに、研究対象である日本代表の説明を行っている。

　研究対象の説明は現在形で行うことが原則である。ここでの説明内容は通常、今現在も存在し、今現在においても事実であることについてのものだからだ。ただし、過去の出来事となっている場合は過去形で書こう。例48でも、「20XX年のワールドカップで悲願の初優勝を遂げた」と過去形も混ざっている。

## 6.2.2　実験・調査の狙い

　その実験・調査等を行う狙いを冒頭で述べよう。そうすれば、何のためにそれを行うのかを読者はすばやく掴むことができる。たとえば例48では、「日本代表の選手が1年間に寿司を食べた回数とその年の勝利数との関係を調べるために」「寿司を食べることと試合の成績の因果関係を調べるために」と狙いを述べている。

　狙いを示さずに説明の詳細に入ってしまうとどうなるか。たとえば、例48の調査・実験方法の第1段落が以下のようであったとする。

---

例48の改悪例1　狙いを述べない
［薄字：改悪前の文　太字：改悪後の文］
*寿司を食べた回数とその年の勝利数との関係*
　日本代表の選手が1年間に寿司を食べた回数とその年の勝利数との関係

を調べるために以下の調査を行った。**日本代表の選手1人あたりが1年間に寿司を食べた回数を調査した。**選手へのアンケートおよび選手常連の寿司店での記録から、選手1人あたりが1年間に寿司を食べた回数の平均を推定した。調査は2014年までさかのぼって行い、2014〜2022年のデータを得た。(以下略)

見出しがあるとはいえ、何のためにこうしたことを調べるのか戸惑ってしまうであろう。ただし、狙いが自明な場合にはわざわざ書く必要はない。わかりきったことを書いてくどくならないようにも心がけよう。

実験・調査の狙いは過去形で書く。過去に行ったことだからである。

### 6.2.3　実験・調査の方法

実験・調査等の方法の説明は最も肝心な部分である。丁寧にきちっと説明しよう。

ここでの説明は、そのレポート・卒論で取り組む問題に解答するために適切な方法を採っていると示すことも目的となる。そのためにはまず、個々の実験・調査の方法が適切であることを示そう。さらには、全体としての実験・調査の設計が適切であることも示そう。すなわち、それら一連の実験・調査を行えば問題に解答できると示すことである。

実験・調査の方法も過去形で書くようにしよう。

### 6.2.4　データ解析の方法

データ解析の方法とは、データの統計解析の方法のことなどである。これも、その方法が適切であることを示すことを心がけよう。適切であると認めてもらえないと、結果に対する読者の信用はなくなってしまうのだ。珍しい統計手法を使う場合はとくに、その方法が適切であることをきちっと説明しよう。よく使われる統計手法の場合は、その適切さをわざわざ説明する必要はない。その手法を用いたとだけ書けばよい。

データ解析の方法も、読者が再現できるように説明しないといけない。

珍しい統計手法を使う場合は、簡単な説明と引用文献を示すようにしよう。統計の教科書ではないのだから、そのレポート・卒論で1から10までその統計手法を説明する必要はない。一方、よく使われる統計手法については、説明も引用も不要である。

　解析ソフトを使った場合は、そのソフト名・バージョン・開発元も示すようにしよう。例48でも、「R 5.1（R Core Team 2022）を用いた」（R Core Team 2022が開発したRというソフトのバージョン5.1）と書いてある。このように、「ソフト名 バージョン（開発元）」という形式で書く。引用文献にも加える。ただし、Excelで、データ管理をしたとか図表を描いたといった程度の場合は、ソフトのことを書く必要はない。あくまでも、高度な解析を行った場合だけ書けばよい。

　データ解析の方法も過去形で書くようにしよう。

## 6.2.5　複数の実験・調査を行ったとき

　複数の実験・調査等を行ったときには、あなたが実際に行った順番に説明する必要はない。説明順の基本は、考察の章での論理展開で出てくる順番に説明することである。たとえば例48（p.119）では、図2（p.46）の論理展開図にまとめているような3種類のデータを取っている。これら3つのデータを得るための実験・調査は、どういう順番で行うことも可能だ。しかし、論理展開の順番は、「寿司を食べた年ほど勝利数が多い」→「日本代表が寿司を絶ったら弱くなった」→「他国代表が寿司を食べたら強くなった」がわかりやすい。ならば、実験・調査方法の説明もこの順番にした方がすっきりする。あるいは、似た実験・調査をまとめて説明するのもよい。たとえば、「野外観察」「野外実験」「室内実験」というふうに、各項目をまとめて説明してしまうわけである。

# 第7章 ㊟

# 結果の説明の仕方

本章では、自分でデータを取って解析したり、文献から得られた情報を解析したりしたレポート・卒論を対象に、結果を説明する章で書くべきこと（**要点10**）を解説する。

こうした解析を自分でしたわけではない場合は、本章も読み飛ばして構わない。

---

**要点10**

**結果の章の書き方**

1. 結果の章を書く上で心がけること
   ◇ 結論を支えるのに必要なデータだけを載せる
2. 書き示すこと
   ◇ わかりやすい形にまとめたデータ等
   ◇ 解析結果等の説明
   ◇ 結果のまとめ
3. 各項目の書き示し方：すべて過去形で書く
   ① 結果のまとめが必要な場合
      ◇ 結果を最後にまとめる
        ・解析結果の説明が長い場合
          データ等を提示する文→解析結果を説明する文→結果をまとめる文
        ・解析結果の説明が短い場合
          データ等の提示と解析結果の説明を同時に行う文→結果をまとめる文

> ◇ 結果のまとめから入る
> 　データ等の提示と結果のまとめを同時に行う文→解析結果を説明する文
> ② 結果のまとめが不要な場合
> 　データ等の提示と解析結果の説明を同時に行う

## 7.1　結果の章を書く上で心がけること

　まず初めに、結果の章を書く上で心がけるべきこと（**要点10−1**）を説明する。それは、**結論を支えるのに必要なデータだけを載せる**ということである（2.1節参照；p.45）。調べたことを、もったいないからと何でもかんでも結果に載せてはいけない。無駄なデータ（情報）が多いほど、レポート・卒論の主張を読者は理解しづらくなるからである。無駄なデータを完全に排除して、本当に必要なデータだけを載せるようにしよう。

## 7.2　結果の章で書くこと

　結果の章で書き示すべきこと（**要点10−2**）は3つある。寿司を食べるかどうかの操作実験（例48の操作実験の部分；p.120）の例で見てみよう。

---

**例49　「寿司を食べるかどうかの操作実験」に関して、結果で書き示すべきこと**

**データ等の提示**
表1のようなデータ。
**解析結果の説明**
日本代表の選手が寿司を絶つと試合成績が下がった。スイス代表とパラグアイ代表の選手が食べ出すと上がった。
**結果のまとめ**
寿司を食べることが試合成績の上昇を、絶つことが下降をもたらす。

| 表1 寿司を食べるかどうかの操作実験をした試合における各国の成績 | | | | |
|---|---|---|---|---|
| | 寿司を絶つ前の7試合 | 寿司を絶った後の7試合 | 寿司を食べ始める前の7試合 | 寿司を食べ始めてからの7試合 |
| 日本代表 | 7勝0分0敗 | 4勝2分1敗 | — | — |
| スイス代表 | — | — | 3勝0分4敗 | 6勝0分1敗 |
| パラグアイ代表 | — | — | 2勝1分4敗 | 5勝2分0敗 |

以下で、それぞれを説明していく。

### 7.2.1 わかりやすい形にまとめたデータ等

　データ等を、わかりやすい形にまとめて提示する。そして、それを元に話を進めていく。

　データの提示の仕方がわかりにくいと、レポート・卒論の主張を支える根拠（データ）を読者は正しく理解できない。そうなると、そのデータに基づいた主張も納得できない。だから、わかりやすい文章を書くことと同様に、**データをわかりやすく提示すること**を心がけなくてはいけない。

　わかりやすい図表の描き方は第11章（p.175）で説明する。

### 7.2.2 解析結果の説明

　解析の結果を説明する。データを取ったのなら、それらデータから言えることの説明である。統計学を用いてデータ解析したのなら、統計学の言葉で語らなくてはいけない。

### 7.2.3 結果のまとめ

　解析結果から言えることを短い言葉でまとめよう。まとめがある方が、読者にはわかりやすいし印象にも残りやすいであろう。

　ただし、解析結果の説明だけで十分に理解できて、それをわざわざまとめ直す必要もない場合もある。その場合にはまとめを省略しよう。

　「結果のまとめ」はあくまでも、解析結果に関する記述をまとめ直すも

のである。結果の解釈ではない。たとえば、「寿司を食べることが強さをもたらす」は解釈である。こうした解釈は考察の章で述べるべきことだ（7.4.2項参照：p.132）。

## 7.3 各項目の書き方

**要点10-2**（p.124）の3つをどのような順番で書き示していけばよいのか。その方法を**要点10-3**（p.124）にまとめた。本節で、結果のまとめが必要な場合と不要な場合とに分けて説明しよう。なお結果の説明は、すべて過去形で書くのが原則である。

### 7.3.1 結果のまとめが必要な場合

結果のまとめが必要な場合、解析結果の説明をしてから結果を最後にまとめる方法と、結果のまとめから入る方法とがある。結果を最後にまとめる場合は、解析結果の説明が長い場合と短い場合とで書き方が異なる。以下で、それぞれについて説明しよう。

**結果を最後にまとめる：解析結果の説明が長い**

結果を最後にまとめ、かつ、解析結果の説明が長い場合には、データをまとめた図表等を提示する文から始めよう。そして、以降の文でそれについての説明を続ける。たとえば以下のようにである。

---

**例50　結果を最後にまとめる：解析結果の説明が長い**

［データの提示］表1に、寿司を食べるかどうかの操作実験の結果を示す。［解析結果の説明］日本代表の選手が寿司を絶ったら試合成績が有意に下がった（$p<0.01$）。一方、スイス代表とパラグアイ代表の選手が寿司を食べ始めたら試合成績が有意に上がった（$p<0.01$）。［結果のまとめ］このように、寿司を食べることが試合成績の上昇を、絶つことが下降をもたらした。

注：表番号は本書でのものである。

---

> ；「有意に」「$p<0.01$」は、統計学的な解析の結果を示すものである。要は、試合成績の変化が、統計学的にも意味ある確かなものであったと言っている。

第1文でデータの提示があるので、これからどのデータについての説明があるのかを読者が理解することができる。データを提示する文がなかったらどうなるか。

> **例50の改悪例1**　冒頭に、データ等を提示する文がない
> ［薄字：改悪前の文　太字：改悪後の文］
> ［データの提示］表1に、寿司を食べるかどうかの操作実験の結果を示す。［解析結果の説明］**日本代表の選手が寿司を絶ったら試合成績が有意に下がった（［データの提示］表1；$p<0.01$）。一方、スイス代表とパラグアイ代表の選手が寿司を食べ始めたら試合成績が有意に上がった（［データの提示］表1；$p<0.01$）。**［結果のまとめ］**このように、寿司を食べることが試合成績の上昇を、絶つことが下降をもたらした。**

何に関する説明なのかわからないので、読みながらちょっと戸惑うであろう。

このように、解析結果の説明が長い場合は、データ等を提示する文を冒頭に置き、これから何の説明をするのかを読者に伝えるべきである。

### 結果を最後にまとめる：解析結果の説明が短い

　解析結果の説明が短い場合には、データをまとめた図表等を提示しつつ、解析結果の説明も行ってしまう文から始める。たとえば以下のようにである。

第7章 結果の説明の仕方

> **例51　結果を最後にまとめる：解析結果の説明が短い場合**
> ［解析結果の説明］日本代表の選手が1年間に寿司を食べた回数と勝利数との間には有意な正の相関関係があった（［データの提示］図7；$p<0.01$）。［結果のまとめ］つまり、寿司をたくさん食べた年ほど強かった。
>
> 注；図番号は本書でのものである。

このように、解析結果の説明が1文くらいですむならば、解析結果の説明文に、そのデータの図表番号を括弧書きで付ければよい。つまり、「解析結果の説明文（図表番号）」とする。下記のように、「何のデータについて説明するのか」をわざわざ伝えるまでもない。

> **例51の「やや」改悪例1**　必要とは言えない、データ等を提示する文を付けている
> ［薄字：改悪前の文　太字：改悪後の文］
> ［データの提示］**図7に、日本代表の選手が1年間に寿司を食べた回数と勝利数との関係を示す。**［解析結果の説明］**両者の**間には有意な正の相関関係が

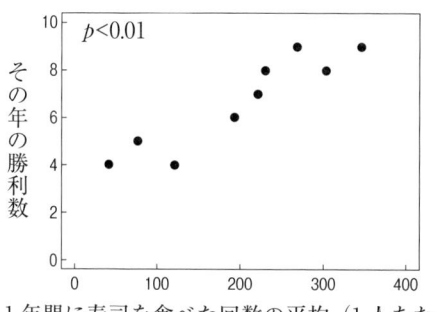

図7．日本代表の選手1人あたりが1年間に寿司を食べた回数の平均と、その年の日本代表の勝利数との関係。勝利数は、対戦相手の実力が揃うように機械的に選んだ10試合でのものである。

> あった（[データの提示]図7：$p<0.01$）。[結果のまとめ]つまり、寿司をたくさん食べた年ほど強かった。

丁寧だし、悪いとは言い切れない書き方ではある。しかし、元の文で十分に通じるであろう。

### 結果のまとめから入る

　結果のまとめから入る場合には、第1文で、データをまとめた図表等の提示と結果のまとめとを同時に行ってしまう。そして以降の文で、解析結果の説明をする。たとえば以下のようにである。

> **例52　結果のまとめから入る場合**
> [結果のまとめ]寿司を食べることが試合成績の上昇を、絶つことが下降をもたらした（[データの提示]表1）。[解析結果の説明]すなわち、日本代表の選手が寿司を絶つ実験では、その後の試合成績が有意に下がった（$p<0.01$）。一方、スイス代表とパラグアイ代表の選手が寿司を食べ始める実験では、その後の試合成績が有意に上がった（$p<0.01$）。

第1文の結果のまとめが、これから何についての説明があるのかの提示にもなっている。そのため、解析結果の説明が長かろうと短かろうと、その後の説明をすんなりと理解することができる。

### 7.3.2　結果のまとめが不要な場合

　解析結果が意味することのまとめが不要（7.2.3項参照：p.126）であるなら、解析結果の説明も短いはずである（長かったらまとめが必要）。この場合は、データ等の提示と解析結果の説明とを同時に行ってしまえばよい。たとえば、寿司を食べるかどうかの操作実験を日本代表に対してだけ行ったとする。その場合は下記で十分である。

> **例53　結果のまとめが不要**
> ［解析結果の説明］日本代表の選手が寿司を絶ったら試合成績が有意に下がった（［データの提示］表 X；$p<0.01$）。

これもわざわざ、「何のデータについて説明するのか」を伝えるまでもない。

> **例53の「やや」改悪例 1　必要とは言えない、データ等を提示する文を付けている**
> ［薄字：改悪前の文　太字：改悪後の文］
> **［データの提示］表 X に、寿司を食べるかどうかの操作実験の結果を示す。**
> ［解析結果の説明］日本代表の選手が寿司を絶ったら試合成績が有意に下がった（［データの提示］表 X；$p<0.01$）。

## 7.4　結果の章で書くべきではないこと

　結果の章では結果の記述だけをするべきである。研究方法の説明を混在させてはいけない。結果の解釈もするべきではない。以下で、詳しく説明していこう。

### 7.4.1　研究方法の説明をしない

　研究方法の説明の章で書くべきことを結果の章で書いてしまっているレポート・卒論がある。たとえばこんな感じである。

> **例51（p.129）の改悪例 1　研究方法の説明を書いている**
> ［太字：書き加えた文］
> **結果**
> 　**［方法の説明］寿司を食べた回数を推定するため、選手からの聞き取りを行うとともに、主要寿司店23軒に残る記録を調べた。これらの店はいずれも**

> 日本代表の熱烈サポーターが経営しており、来店した選手のことを克明に記録していた。選手の聞き取り結果から、これら23軒以外は利用していないことがわかった。そこで、これら23軒での食事回数を、寿司を食べた回数とした。
> ［解析結果の説明］日本代表の選手が1年間に寿司を食べた回数と勝利数との間には有意な正の相関関係があった（［データの提示］図X；$p<0.01$）。［結果のまとめ］つまり、寿司をたくさん食べた年ほど強かった。

改悪例1の第1段落では、寿司を食べた回数の推定法を説明している。これを結果の章で書いてしまったのは、研究結果の一部であるという意識があるためである。つまり、色々調べた結果、これら23軒になったというわけである。しかしこれは、「寿司を食べた回数を推定する」という研究方法の一部である。だから、研究方法の説明の章に書くべきである。

研究方法は、分割せずに一まとめにして（研究方法の説明の章に）提示するようにしよう。そして、研究方法全体として適切かどうかを読者に吟味してもらうのだ。一部を結果の章に書いてしまっては、研究方法の全体像を掴みにくくなるだけである。

### 7.4.2 結果の解釈をしない

結果の章では結果の解釈をしない。こうした解釈は考察の章で行うことである。例を見てみよう。

> **例51（p.129）の改悪例2** 結果の解釈を書いている
> ［太字：書き加えた文］
> ［解析結果の説明］日本代表の選手が1年間に寿司を食べた回数と勝利数との間には有意な正の相関関係があった（［データの提示］図X；$p<0.01$）。［結果のまとめ］つまり、寿司をたくさん食べた年ほど強かった。［結果の解釈］**この結果は、寿司が強さの源であることを示唆している。**

データが語っているのは、寿司を食べた回数と勝利数との間に相関関係が

あったことだけである。因果関係は何も語っていない。太字部は結果の解釈である。だからこれは、考察の章で書くべきことである。

## 7.5 複数の結果を示すときの提示順

　複数の結果を示すとき、その提示順は、考察の章での論理展開に出てくる順番どおりにするのが原則である。結果の章と考察の章とで順番が異なっては、読者に無用の混乱を与えかねないからである。

# 第 8 章
# 考察の進め方

　本章では、データ・事実を元に論を展開していく部分（考察の章）の書き方を解説する。解答レポート・卒論では、取り組んだ問題に対する解答（結論）を導いていく部分である。説明レポートでは、課題に対する説明を展開していく部分である。いずれの場合も、レポート・卒論の核となりうる部分だ。

　本章の説明の大部分は解答レポート・卒論を対象としている。これらを書く方は、8.1～8.5節をよく読んで頂きたい。説明レポートを書く方は、8.1節および8.6節のみを読めばよい。

　結論の書き方は第9章（p.152）でも詳述する。

## 8.1　考察の章を書く目的

　考察の章を書くにあたっては、その目的をしっかりと頭に入れておく必要がある。その目的を改めて書くと、**序論での問題提起に答えること**である。あなたは序論で、これこれの理由でこの問題に取り組むと提起したはずだ（第4章参照；p.59）。この提起を受けて、考察の章での議論を展開する。これが、この章で行うことである。

## 8.2　考察の章の構成 ㊝

　考察の章の構成は、自分でデータを取って解析したり、文献から得られた情報を解析したりしたレポート・卒論と、こうした解析はしていないレ

ポート・卒論とで少し異なる。

　データ・情報を解析したレポート・卒論では、解析結果を結果の章で説明ずみである。それに続いて、「考察」「議論」といった章を立てる（1.2節参照；p.41）。そしてこの章で、解析結果についての考察と既存の知見についての考察を行う。

　解析をしていないレポート・卒論では、序論に続き、既存の知見を絡めつつ考察をしていく。短ければ「本論」という章立てでもよいが、考察内容が適切に伝わるような章立てをする方がよい（レポートの例 4，5 参照；p.7, 9）。

## 8.3　考察の章で書くこと 説

　では具体的に何を書けばよいのか。考察で書くべきことは 4 つある（**要点11**）。

---

**要点11**

**考察の章で書くこと**

（ ）内は、序論の骨子（**要点7**；p.60）の対応項目

1. 問題解決のためにやったこと（何をやるのか）の結果の検討
   - 自分でデータ等を取ったり解析したりした場合
     - ◇ 得られた結果の解釈・検討
     - ◇ 提唱する仮説の、既存の知見との整合性の検討
     - ◇ 他の仮説との比較検討
   - それ以外の場合
     - ◇ 文献から得た事実・知見等の提示
     - ◇ 提唱する仮説の検討
     - ◇ 他の仮説との比較検討
2. 取り組んだ問題（どういう問題に取り組むのか）への解答
   - ◇ 以上を踏まえ、問題への解答（結論）は

> 3. その問題に取り組んだ理由（取り組む理由は）への応え（注；書く
>    必要がないこともある）
>    ◇ その結論は、問題意識にどう応えるのか
> 4. 今後の発展
>    ◇ 問題の完全解決のために行うべきこと
>    ◇ 新たに挑むべき問題

　データ・情報を解析した場合としていない場合とでは、**要点11－1**の書き方（次8.3.1項で説明）だけが異なる。以下で、**要点11**の各項目について説明していく。

## 8.3.1　問題解決のためにやったことの結果の検討と、取り組んだ問題への解答

　考察ではまず、得られた結果に基づいて、**要点11－1**と**要点11－2**とを行う。データ・情報を自分で解析した場合と、解析はしていない場合それぞれの例を見ていこう。

### データ・情報を自分で解析した場合

　自分でデータを取って解析したり、文献から得られた情報を解析したりした場合の書き方を、日本代表の研究例を用いて説明する。この例では、**図7**（p.129）と**表1**（p.126）のデータに基づいて議論を進めている。これらのデータそれぞれが意味することは以下の通りである。

> 図7：寿司を食べた年ほど強い。
> 表1：寿司を食べることが試合成績の上昇を、絶つことが下降をもたらす。

　これを元にこのように考察する。

**例54　なぜ、日本代表は強いのか？：勝利を呼ぶ寿司仮説の検証**

**考察**
*日本代表の強さの秘密は何か？*
　本研究の結果から、［問題への解答］日本代表が強い理由の１つは、選手が寿司を食べているからであると結論できる。以下に、その論拠を述べる。
　［結果の解釈・検討］2014～2022年の各シーズンにおいて、寿司を食べた年ほど強かった（図7）。このことは、寿司を食べることが強さの一因である可能性を示している。
　一方、操作実験からも、寿司が強さの秘密であるという結果が得られた。すなわち、寿司を食べることが試合成績の上昇を、絶つことが下降をもたらした（表1）。ただし表1の結果は、実験の前と後での対戦相手の違いを考慮していない。しかし、各チームの対戦相手は、実験開始の前と後で実力的にそれほど差はなかった。だから表1の結果は、寿司を食べることの効果を十分に反映していると言っていいであろう。
　［既存の知見との整合性］寿司を食べることの効果を示唆する報告は他にもいくつかある。他の競技では、寿司が好きな選手が多いものほどオリンピックでの成績が良い（本田 2022）。一方、海外サッカーでは、生の魚を食べる国ほど強い傾向がある（メッシ 2021）。これらの報告も、寿司の効果を示唆している。
　［他の仮説の検討］日本代表の強さの秘密を解析した研究はいくつかある。ベッカム（2020）は、日本代表が強い理由として、監督・選手・サポーターの力量の高さを第一に上げている。しかし、それだけでは説明できない神秘的な部分もあると含みを持たせている。神秘的な部分を科学的に説明すべく、マラドーナ（2021）は、チームカラーである青が相手チームを威圧していると指摘した。しかし、世界各国でチームカラーの効果を調べたところ、青にとくに効果は認められなかった（クリスティアーノ・ロナウド 2022）。本書著者の愛犬あんが可愛いからであるという説（酒井 2021）は、はなから却下（その他全員 2022）されてしまった。このようにこれまでのところ、強さの神秘的な部分の説明はできていない。寿司仮説が、神秘的な部分を説明するもっとも有力な仮説である。

（続きは8.3.2項で紹介する）

では、書くべき項目について具体的に説明していく。

## 得られた結果の解釈・検討

まずもってすべきことが、得られた結果の解釈・検討である。個々の結果が示すことを的確に解釈する。個々の結果を統合すると、どういうことが導き出されるのかを論じる。そしてそれは、あなたの仮説を支持するのかどうかを検討しよう。

## 既存の知見との整合性の検討

結論を支える根拠は、あなたがそのレポート・卒論中で得た結果だけでなく、他の文献が明らかにしたことであってもよい。既存の知見との整合性を検討し、あなたの仮説とどう合うのか、あるいはどの部分が合わないのかを検討していく。こうした議論をして一般性を高めていこう。

## 他の仮説との比較検討

あなたが取り組んだ問題に対する解答候補は他にもあるかもしれない。つまり、解答に関する他の仮説があるかもしれない。その場合は、これら他の仮説と比較検討して、あなたの仮説がいかに確からしいのかを検討すべきである（3.4節参照；p.57）。既存の他の仮説よりもあなたの仮説の方が確からしいことが、あなたの仮説が正しいための絶対条件だからである。

## 取り組んだ問題への解答

こうした一連の議論を踏まえ、取り組んだ問題に対する解答を示す。つまり結論を示す。結論が不明確なレポート・卒論は、「何が言いたいのかわからない」と批判されてお終いである。

結論については第9章（p.152）も参照して欲しい。

## データ・情報を解析していない場合

次に、データ・情報を解析したわけではない場合の書き方を、東北大レポートを一部改編したものを用いて説明する。このレポートでは、可笑し

なことを見聞きした時に笑う（ユーモア的「笑い」と呼んでいる）理由を検討している。そして、ズレによって笑うという説を提唱している。その考察の一部を紹介しよう。

---

**例55　笑いの原因とその効果について～ズレの理論から考える～**

**2．考察**
**2-1．笑いの諸理論**
*優越の理論*
　［事実・知見の提示］「笑い」について説明を試みた理論としては優越の理論[1]というものがある。モリオール氏も「最も古く、またおそらく現在なお最も広く知られている笑いの理論は、他人に対する優越感の表現だというものである」[2]と書いているように、一般的に笑いを説明するうえで広く用いられてきた理論であり、その具体的内容は、人が笑う時には他者に対しての優越を感じているという理論である。確かにわれわれは、他人が失敗したときや、自分が勝利したときに笑う。
　［他の仮説の検討］しかし、この理論では、ユーモア的「笑い」を説明できないことがある。例えば、モリオールは著書の中で冷蔵庫の中にボウリングのボールが入っているといういたずらをされた時のことを例に挙げている。ここでは、何かに優越を感じてはいない。これは、ないはずのものがそこにあるという意外性から生じている。この例では、優越の理論を用いては説明できない。よって、優越の理論ではユーモア的「笑い」について説明するには不十分である。

*ズレの理論*
　［事実・知見の提示と提唱する仮説の検討］このズレの理論は何らかの「ズレ」によって「笑い」が生じるという理論である[3]。モリオールも「ズレの理論にとって笑いの愉快さとは、予期されざる、非論理的な、また他の何らかの意味で不適切な何事かに対する知的反応である。」[4]と述べている。この理論におけるズレとは常識や頭の中にある概念や予想のことであり、そこから外れることによって「笑い」が生じているというのである。漫才やコントなどを見ていても、予想外のことが出てくると面白く感じるということは体感的にも理解できるだろう。

> 優越による笑いも実は、ズレによる笑いであると解釈することができる。他者に関して優越を感じ笑う時には、自分とのズレを感じて笑っていると考えられるからである。
>
> **2－2．結論**
> 　［問題への解答］以上のことから、ズレの理論が、ユーモア的「笑い」を説明する最も包括的な理論であると結論する。
>
> 注；上付きの番号は引用文献を示している。
>
> （東北大レポートを一部改編）

では、書くべき項目について具体的に説明していく。

*文献から得た事実・知見等の提示*
　文献等を調べて得た事実や知見などを提示する。データ・情報を解析していないレポート・卒論には、結果を説明する章がない。考察する章で、事実・知見等を示しつつ、議論を進めていくことになる。

*提唱する仮説の検討*
　事実・知見等を元に、あなたの仮説が正しいのかどうかを検討する。事実・知見等に照らし合わせ、あなたの仮説とどう合うのか、あるいはどの部分が合わないのかを検討していこう。

他の仮説との比較検討と取り組んだ問題への解答は上述（p.138）の通りである。

## 8.3.2　その問題に取り組んだ理由への応え

　レポート・卒論というものは、多くの場合、取り組んだ問題に解答するだけでは不十分である。たとえば、「日本代表が強いのは寿司を食べているから」と解答したとする。これだけだと読者は、「それで何なのか？」

と思ってしまう。問題に解答したことの意義がわからないからだ。

　あなたがその問題に取り組んだのは、取り組むべき理由があったからである。序論の骨子の「取り組む理由は」（p.66）がそれだ。日本代表の研究では、継続的強化に適用できるという理由で、強さの秘密を調べたわけである。問題解明の意義はここにある。だから、取り組んだ問題に解答した上で、その解答が、その問題に取り組んだ理由にどう応えるのか（**要点11-3**；p.136）を説明しないといけない。たとえば以下のようにである。

> （8.3.1項からの続き）
> *寿司の、継続的強化への適用*
> 　本研究の成果は、日本代表の継続的強化に役立つ。一番重要なことは、寿司を計画的に食べるようにすることである。そのためには、日本代表専属の寿司職人と鮮魚仕入れ人を雇うべきである。そして、宿泊施設でいつでも食べられるようにする。海外遠征にも帯同させて、海外でも食べられるようにするべきだ。
>
> 　　　　　　　　　　　　　　　　　　　　（続きは8.3.3項で紹介する）

　こうした考察があれば、寿司のおかげという解答を踏まえ、継続的強化という問題にどう応えるのかがわかるであろう。

　ただし、その問題に取り組んだ理由への応えを書く必要がないレポート・卒論もある。たとえば、例15（p.64）のレポートでは不要であろう。このレポートでは、「なぜ、会話での発言と発言者の意図が必ずしも一致しないのであろうか」という問題に取り組んでいる。取り組んだ理由は、「会話とは本来、意見や感情をお互いに伝え合うために行われる行為であり、会話での発言とそれに伴う意図は一致するべきものである」からである。そして、交わされる会話自体の状況（会話のTPO）と会話する相手の状況（会話の相手との関係）が不一致の要因であることを示した。これを受けて、取り組んだ理由（会話での発言とそれに伴う意図は一致するべき）に応えた考察をする意味はないだろう。せいぜい、「確かに一致する

べきなんだけど」くらいしか書けない。

　取り組んだ理由への応えは、取り組んだ理由（「取り組む理由は」の項目参照；p.66）が、「上位の問題の解決に繋がる」である場合は必ず書く。そして取り組んだ問題への解答が、上位の問題の解決にどう繋がるのかを説明しよう（上記の日本代表の考察例のように）。

　取り組んだ理由が、「その問題の解決自体に意義がある」である場合は、取り組んだ理由への応えを書くべきかどうかはそのレポート・卒論による。実は、何らかの形で上位の問題に繋がっている場合は書くべきである。そうでない場合は、書くべきかどうかを個々に判断して欲しい。

### 8.3.3　今後の発展

　今後の発展（要点11−4；p.136）も述べるようにしよう。要点11−4の1つ目（問題の完全解決のために行うべきこと）は、問題を部分的にしか解決していない場合に述べるべきことである。2つ目（新たに挑むべき問題）は、（ほぼ）解決したと思っている場合に述べるべきことだ。学術は、問題を1つ1つ解決していくことで発展していく。1つの問題の解決は、新たな問題への挑戦をもたらすはずなのだ。

　たとえば、寿司が強さの秘密とわかったとして、次に取り組むべき問題は何なのか。寿司の成分を分析して、俊敏性を高める栄養素をつきとめるといったことが、進むべき道であろう。

---

（8.3.2項からの続き）
*今後の課題*
　寿司を食べると俊敏性が高まる理由は不明である。これを調べるためには、寿司を栄養学的に分析する必要がある。寿司の栄養学的研究にはネイマール（2020）があるものの、彼の研究の主目的は寿司の旨味成分の分析である。現在のところ、俊敏性を高めるという視点から、寿司を栄養学的に分析した研究はない。今後は、こうした研究を行うことにより、寿司の持つどういう栄養素が、俊敏性を高める働きを持っているのかを明らかにする必要

がある。

　ごく一部の選手が寿司を食べず嫌いしている（清水 2020）ことも問題である。そのため、騙して食べさせる方法の開発も望まれる。たとえば、ネタを、その選手が好きなものにしてみる（牛肉とか）。そうやって寿司に慣れさせ、鮮魚がネタの寿司を食べるように誘導する。酢飯が苦手な選手は、普通の白米の寿司から始めるのもよいであろう。

こうして次の問題を示すことで、学術はより発展していく。

## 8.4　各項目を書く順番 （説）

　要点11（p.135）の各項目を書く順番には、大きく分けて2通りある（**要点12**）。以下で、それぞれを説明する。

---

**要点12**

### 考察の各項目を書く順番

**結論を冒頭に書く**
1. 取り組んだ問題への解答（結論）
2. 問題解決のためにやったことの結果の検討
3. その問題に取り組んだ理由への応え
4. 今後の発展

全項目を、「考察」「議論」「本論」といった章の中に組み込む。節・項などの下位構造を設けてもよい。

**問題解決のためにやったことの結果の検討を先にする**
1. 問題解決のためにやったことの結果の検討
2. 取り組んだ問題への解答（結論）
3. その問題に取り組んだ理由への応え
4. 今後の発展

> 2，3，4を、「結論」という章として独立させてもよい。節・項などの下位構造を設けてもよい。
>
> ※いずれの場合も、3と4の順番は逆でもよい。

### 8.4.1　結論を冒頭に書く

1つ目は、考察の冒頭に結論を書き、それに続けて、その結論を導く論を展開していくやり方である。例54（p.137）がそうだ。この場合は、全項目を、「考察」「議論」「本論」といった章の中に組み込む。必要に応じて、節・項などの下位構造を設けてもよい（例54の一連の文章参照；p.137, 141, 142）。

### 8.4.2　問題解決のためにやったことの結果の検討を先にする

2つ目は、問題解決のためにやったことの結果を検討してから結論を述べるやり方である。例を見てみよう。

---

**例56　結果の検討が先**
**なぜ、日本代表は強いのか？：勝利を呼ぶ寿司仮説の検証**

**考察**

*日本代表の強さの秘密は何か？*

　［結果の解釈・検討］寿司仮説の検証を行った結果、以下のことがわかった。2014〜2022年の各シーズンにおいて、寿司を食べた年ほど強かった（図7）。(略)

　一方、操作実験からも、寿司が強さの秘密であるという結果が得られた。(略)

　［既存の知見との整合性］寿司を食べることの効果を示唆する報告は他にもいくつかある。(略)

　［他の仮説の検討］日本代表の強さの秘密を解析した研究はいくつかある。(略)

　［結論］以上のことから、日本代表が強い理由の1つは、選手が寿司を食

---

> べているからであると結論できる。
>
> *寿司の、継続的強化への適用*
> 　［取り組んだ理由への応え］本研究の成果は、日本代表の継続的強化に役立つ。一番重要なことは、寿司を計画的に食べるようにすることである。（略）
>
> *今後の課題*
> 　［今後の発展］寿司を食べると俊敏性が高まる理由は不明である。これを調べるためには、寿司を栄養学的に分析する必要がある。（略）

このように、いったん結論した後、必要ならば、取り組んだ理由への応えや今後の発展を述べる形になる。

　結論以降の項目（要点12（p.143）の項目2，3，4）を、「結論」という章として独立させてもよい。ただし、独立させ、かつ、取り組んだ理由への応えや今後の発展も書く場合は、それらの見出しを付けるようにしよう。たとえば以下のようにである。

> **例57　なぜ、日本代表は強いのか？：勝利を呼ぶ寿司仮説の検証**
>
> **結論**
> 　本研究の結果から、日本代表が強い理由の1つは、選手が寿司を食べているからであると結論できる。
>
> *寿司の、継続的強化への適用*
> 　本研究の成果は、日本代表の継続的強化に役立つ。一番重要なことは、寿司を計画的に食べるようにすることである。（略）
>
> *今後の課題*
> 　寿司を食べると俊敏性が高まる理由は不明である。これを調べるためには、寿司を栄養学的に分析する必要がある。（略）

こうすれば、どれが結論かが明確になるであろう。ただし、取り組んだ理

由への応え・今後の発展が短い場合は、わざわざ見出しを付ける必要はない。

　問題解決のためにやったことの結果の検討の説明が長い場合は、結論を述べる前に（述べつつ）、その論拠となる検討結果を要約するのもよい。たとえば以下のようにである。

---

**例58　結論を支える根拠をまとめる**
**なぜ、日本代表は強いのか？：勝利を呼ぶ寿司仮説の検証**

**結論**
　［結論］本研究の結果から、日本代表が強い理由の１つは、選手が寿司を食べているからであると結論できる。［論拠の要約］なぜならば、①寿司を食べた年ほど強く、②寿司を食べることが試合成績の上昇を、絶つことが下降をもたらし、③寿司を食べることの効果を示唆する報告もあるからである。

---

これならば、何を根拠にそう結論するのかわかりやすいであろう。なおこうしたまとめ直しは、「結論」の章として独立させる場合だけでなく、独立させない場合にもやってよいことである。

## 8.5　考察の章を書くときの注意事項

　考察の章を書くときに注意して欲しいことが４つある（**要点13**）。以下で、それぞれについて説明する。

---

**要点13**

**考察の章を書くときの注意事項**
◇　結果の章で提示したすべてのデータ等を使って議論する
◇　結果をまとめた「短い言葉」を使って議論する
◇　図表を引用しながら議論する
◇　仮説を支える上で不十分な点も述べる

## 8.5.1 結果の章で提示したすべてのデータ等を使って議論する

　結果の章で提示したすべてのデータ等を議論に用いること。逆にいうならば、考察の章での議論に用いないデータは無駄なデータということである。そうしたデータはレポート・卒論から削るべきだ。

## 8.5.2 結果をまとめた「短い言葉」を使って議論する

　データ等に基づいて議論を展開するときには、結果をまとめた「短い言葉」（7.2.3節参照；p.126）を使って話を進めるとわかりやすい。こうすれば読者は、データが持つ情報を頭に入れながら考察を読み進めることができるからだ。結果の章ですでにまとめたことだからと言って、データに関して最小限のことしか述べずにすますのは不親切だ。それでは、「このデータはどういうものだったっけ」と、読者は結果の章を見直す羽目になってしまう。

　むろん、結果の章と考察の章とで、記述ができるだけ重複しないように心がける必要はある。だからこそ、「短い言葉」を使って議論を進めるのだ。たとえば、以下のような書き方は避けるべきだ。

---

例54の第3段落（p.137）の改悪例1　　**結果の章との無駄な重複**
[薄字：改悪前の文　太字：改悪後の文]
　**寿司を食べるかどうかの操作実験も行った（表1）。その結果、日本代表の選手が寿司を絶ったら試合成績が下がった。一方、スイス代表とパラグアイ代表の選手が寿司を食べ始めたら試合成績が上がった。このように、**一方、操作実験からも、寿司が強さの秘密であるという結果が得られた。すなわち、寿司を食べることが試合成績の上昇を、絶つことが下降をもたらしていた（表1）。ただし表1の結果は、実験の前と後での対戦相手の違いを考慮していない。しかし、各チームの対戦相手は、実験開始の前と後で実力的にそれほど差はなかった。だから表1の結果は、寿司を食べることの効果を十分に反映していると言っていいであろう。

---

太字部分は、結果の章ですでに説明していることであり、かなりの重複と

なっている。「短い言葉」だけを使うようにすれば、最小限の重複で、考察だけを読んでわかるようにできると思う。

### 8.5.3　図表を引用しながら議論する

根拠となる図表を引用しながら議論しよう。たとえば、「寿司を食べた年ほど試合成績が良かった（**図4**）」というように、該当する図表の番号（ここでは**図4**）を添えるのである。図表の引用がないと、どのデータを指してのことなのか読者が迷ってしまうことがあるのだ。

### 8.5.4　仮説を支える上で不十分な点も述べる

仮説を支える根拠として、データ・事実・知見の弱い部分もきちっと指摘しよう。考察でなすべきことは、データ・事実・知見を元にあなたの仮説を検討することである。だから、不十分な点も含め検討材料を包み隠さず提示し、仮説の妥当性を総合的に議論しなくてはいけない。たとえば例54の第3段落後半（p.137）では、表1の実験において、実験の前と後での対戦相手の違いを考慮していないことを述べている。考察では、そうした負の要素があっても主張できることだけを主張すべきだ。

データが不十分なのは、研究手法上の問題があって、望むデータを取ることができなかったためである場合もある。その場合は、こうした問題点についても議論しよう。その問題点が結果にどの程度影響しているのか、問題点の克服のために何をすべきなのかを論じていく。

書く順番は以下のようにしよう。

> ① そのデータ・事実・知見から言いたいことを主張する
> ② 不足している点や問題点を述べる

まずもって、そのデータ・事実・知見の良い点から訴えるべきである。問題点を先に書いてしまうと、読者に悪い印象を与えかねない。それは、

まったくもって損なことである。

## 8.6　説明レポートの考察の章（本論）で書くこと 解 卒

　説明レポートでは、序論に続いて課題の説明に入る。課題についての考察も加えるので、「考察」の章と呼んでもいいであろう（普通に「本論」と呼んでもよいが）。説明レポートの考察の章では、**要点14**の2つを書く。日本代表の強さの特徴を説明するレポート（p.95の例26がその序論である）を例に説明しよう。

---

**要点14**

**説明レポートの考察の章（本論）で書くこと**

◇　課題の説明
◇　背景にある問題の解決に向けてのこと（序論の骨子（**要点7**；p.60）の「そのことをやる理由は」への応え）

---

　　　　　例59〈課題〉日本代表の強さの特徴を説明せよ
　　　　　　日本代表の強さの特徴：選手の俊敏性の高さ
*日本代表の強さの秘密は何か？*
　［課題の説明］日本代表の強さの特徴は、選手の俊敏性の高さにある（岡田2020）。どんな相手も、俊敏な動きで翻弄している。具体的には（略；文献を引用しつつ、俊敏性を示すデータ等を紹介しよう）。ちなみにどの選手も、モグラ叩きは世界チャンピオン級である（香川2021）。
　俊敏性を支えているのが寿司である。そのことを示した酒井（2022）の研究がある。酒井によると、日本代表は、選手が寿司をたくさん食べた年ほど強かった。寿司を食べるかどうかの操作実験も行われた。日本代表の選手が寿司を絶ったら試合成績が下がった。一方、スイス代表とパラグアイ代表の選手が寿司を食べ始めたら試合成績が上がった。このように、寿司が強さの秘密となっていることがわかっている。

> *寿司の、継続的強化への適用*
> 　[背景にある問題の解決] 日本代表の継続的強化において一番重要なことは、寿司を計画的に食べるようにすることである。そのためには、日本代表専属の寿司職人と鮮魚仕入れ人を雇うべきである。そして、宿泊施設でいつでも食べられるようにする。海外遠征にも帯同させて、海外でも食べられるようにするべきだ。
> 　ごく一部の選手が寿司を食べず嫌いしている（清水 2020）ことも問題である。そのため、騙して食べさせる方法の開発も望まれる。たとえば、ネタを、その選手が好きなものにしてみる（牛肉とか）。そうやって寿司に慣れさせ、鮮魚がネタの寿司を食べるように誘導する。酢飯が苦手な選手は、普通の白米の寿司から始めるのもよいであろう。

では、書くべき項目について具体的に説明していく。

*課題の説明*

　与えられた課題の説明を行う。当然ながら、説明レポートにおいてもっとも重要な部分である。文献を適宜引用しながら説明するようにしよう。

*背景にある問題の解決に向けて*

　多くの場合、その課題について説明するだけでは不十分である。なぜならば、教員がその課題を課したのは、その課題の理解が、何らかの学術的問題の解決に繋がるからである。たとえば、日本代表の強さの特徴を理解することは、継続的強化策を打ち立てるという問題の解決に繋がる。そして序論（p.95の例26）でそのことを指摘した。だから、背景にある問題の解決にどう繋げていくのかも説明するべきである。日本代表の例では、継続的強化に寿司を活用するという説明をしている。つまり、序論で述べた「そのことをやる理由は（背景にある問題）」（**要点7参照；p.60**）に応えた説明を展開する。

　ただしこうした説明は、すべての説明レポートにおいて必要なわけではない。たとえば、「風邪の効果的な予防法を説明せよ」という課題があっ

たとする。これに対して、以下の骨子の序論を組んだとする。

---

**例60 〈課題〉風邪の効果的な予防法を説明せよ**

**序論の骨子**
**何を前にして**：風邪は、日常的にかかる病気である。
**そのことをやる理由は（背景にある問題）**：一度かかると数日間は活動が停滞してしまう。風邪が元で、他の重篤な病気にかかることもある。したがって、風邪の予防法をしっかりと理解しておく必要がある。
**何をやるのか**：風邪の効果的な予防法についてまとめる。

---

「そのことをやる理由は」の論旨は、風邪にかからないことが大切だからというものであり、「背景にある問題＝風邪にかからないこと」である。つまり、風邪の効果的な予防法を理解することが、背景にある問題の解決策そのものになっている。何らかの別問題の解決に繋げるためのステップではないので、背景にある問題の解決に向けてのことは不要である。要は、背景にある問題が、その課題についての理解より一段上にある場合には、その問題に向けてのことを書くということである。

# 第9章
# 結論を書く上での注意事項

本章では、結論を書く上での注意事項（**要点15**）を説明する。本章は、解答レポート・卒論を書く方のみが読めばよい。

> **要点15**
>
> **結論を書く上での注意事項**
> 1. 結論とは、取り組んだ問題に対する解答である
> 2. 結論を書く上での注意事項
>    ① 結論を明確に
>    ② 序論での問題提起に答える
>    ③ 全体のまとめや総括と結論は異なる

## 9.1 結論とは何か

結論とは何かを改めて述べておく。**結論とは、取り組んだ問題に対する解答**である（**要点15-1**）。日本代表の研究例では、「なぜ、日本代表は強いのか」が取り組んだ問題であり、結論は、「寿司を食べているから」である。結論を示すことが、解答レポート・卒論の目的である。

## 9.2 結論を明確に

結論を明確に述べることを意識しよう（**要点15-2-①**）。何らかの問題に解答するためにレポート・卒論を書くのだから、結論（解答）なしで

良いはずがないのだ。結論がない、あるいは不明確なレポート・卒論は欠陥品である。

結論のないレポート・卒論を書いてしまう原因は2つありうる。

> ☐ そもそも、問題に取り組んでいない。
> ☐ 問題に取り組んだのだけれど、答えを出せなかった。

1つ目は要するに、レポート・卒論とはいえないものを書いているということだ（第1部第1章参照；p.2）。たとえば、調べたことを書いただけのレポート・卒論は、何らかの問題に取り組んだわけではない。となると当然、解答も存在しない（例3参照；p.6）。

2つ目は、解答の意味を勘違いしている。「わからなかった」だって立派な解答なのだ。仮説が否定されてしまったのなら、「○○説は否定された」と結論すればよい。

## 9.3　序論での問題提起に答える

結論は、序論での問題提起に答えたものでなくてはいけない（**要点15-2-②**）。あなたは序論で、「○○という問題に取り組む」と問題提起したはずである（4.2節参照；p.63）。ならば当然、この問題提起に答えるのだ。つまり、**取り組んだ問題に対応した結論**を示す。

ところが、これができていないレポート・卒論が多い。例を見てみよう。

---

**例61　日本の英語教育の問題点**

**序論**
　私たちは、中学高校大学と英語教育を受けている。それなのに、英語を話せるようになる人は少ない。日本の英語教育にはどういう問題があるのであ

ろうか？

**受験のための英語教育**
(略)

**聴き取り軽視の英語教育**
(略)

**結論**
　英語を習得することは簡単なことではない。しかし英語を話せるようになれば、さまざまな国の人と交流することができる。英語は、国際社会を生きる上で欠かせない道具なのだ。日本の英語教育は一朝一夕には改善しないであろうが、強い意欲を持って英語学習に臨むべきである。

（東北大レポートを元に創作）

この例では、日本の英語教育の問題点を示すことが取り組んだ問題である。ならば、「○○という点が問題である」が解答（結論）でなくてはいけない。ところがなぜか、英語を学ぶことの大切さが結論になってしまっている。これでは、取り組んだ問題に解答せずに終わってしまうことになる。

　結論を書いたら必ず、序論での問題提起との対応を確認しよう。ずれていたら、問題提起の方を再考し、結論に対応した問題にすることである（2.2節参照；p.46）。

## 9.4　まとめは結論にあらず

　「まとめ」「おわりに」などといった見出しを立てて、全体をまとめたり総括したりして終えているレポート・卒論もある。あるいは、見出しは「結論」なのだけれど、中身は、まとめや総括になっているものもある。全体をまとめたり総括したりすることと、結論を述べることとは異なる（**要点15-2-③**；p.152）。たとえ、まとめ・総括の中で結論も述べていたとしても、他の文章の中に埋もれて不明瞭になっていては意味がないの

だ。全体を総括して終えるのではなく、結論を明確に示して終えなくてはいけない。

「おわりに」で終えてしまっている例を見てみよう。「日本の捕鯨は必要か」という問題に取り組んだレポートである。

---

**例62　日本の捕鯨は必要か？―日本人の信仰と食文化から考える―**

１．序論
（略）

２．捕鯨は日本の固有文化なのか
（略）

３．クジラを信仰する
（略）

４．クジラを食べる
（略）

５．おわりに
　［まとめ・総括］日本の捕鯨は長い歴史の中で育まれ、多くの地域で継承されてきた。日本人にとってクジラは豊穣をもたらす信仰対象であり、現在でも伝統的な祭りが継承されている。さらにクジラの肉を食べる習慣も、欧米の鯨油目的の捕鯨と異なる大きな特徴である。これらのことから、日本の捕鯨は独自の文化を形成していると言える。
　もし日本の文化の中から捕鯨が消えたら、形はなくとも確かに受け継がれてきた信仰と食文化が消滅するという取り返しのつかない事態になるだろう。［結論］それゆえ、伝統文化としての捕鯨を停止してはならないのである。
　［まとめ・総括］ただしこの捕鯨文化を、欧米をはじめとする反捕鯨国に当てはめることはできない。われわれ日本人がクジラに対し特徴的な関係性を築いてきたように、彼らは彼ら独自の文化的な文脈の中でクジラと関わってきた。（略）

> ［今後の課題］日本がいつの間にか背負っていた捕鯨国という看板。改めて日本の捕鯨文化を考え、その中身を国内外に向けて明らかにしていかなければならない。
>
> （東北大レポートより）

「5．おわりに」のほとんどは、それまでの議論をまとめて総括したものである。結論も述べているのであるが、まとめ・総括文の中に埋没し、読み取りにくいものになっている。

> **例62の改善案（全面改訂している）**
>
> 5．結論
> 　［結論］日本の捕鯨は必要である。［論拠の要約］なぜならば捕鯨は、日本人の信仰と食生活に結びついた伝統文化だからである。伝統文化を消滅させてはいけないのだ。
>
> 捕鯨の理解のために
> 　［今後の課題］日本の捕鯨を反捕鯨国に認めてもらうためには、日本の捕鯨文化を理解してもらうことから始めるべきである。欧米をはじめとする反捕鯨国は、彼ら独自の文化的な文脈の中でクジラと関わってきた。両文化の違いを説明し、お互いを尊重し合うことから相互理解を進めていかなくてはいけない。

これならば結論が明確であろう。論拠も示す場合（例58参照；p.146）は、考察で述べたことのだらだらとした繰り返しにしてはいけない。改善案のように、簡潔にまとめるようにしよう。

# 第10章
# 引用文献と参考文献

ほとんどすべてのレポート・卒論は、文献を引用しながら議論を進める。実験・調査・執筆の過程で文献を参考にもする。本章では、引用文献と参考文献について説明する。

なお、ただ単に「引用する」と書いている場合、それは、「引用文献の記述を引用する」という意味である。ただ単に「参考にする」と書いている場合、それは、「参考文献の記述を参考にする」という意味である。

---

**要点16**

**引用文献と参考文献**

1. 引用文献・参考文献の基準および文献情報の提示不要の基準
    ◇ ある特定の文献だけが示していること
      （他の文献では示されていない）
      →引用文献
    ◇ ある特定の文献だけが示しているわけではないこと
      （その学術分野における一般常識となっている）
        ・一般的な学部生の知識を超える→参考文献
        ・一般的な学部生の知識の範囲内→文献情報の提示不要
2. 本文中における、引用文献情報の示し方
    （下記２つのいずれかにする）
      ① 著者の苗字または組織名と、発表年とを示す
      ② 引用部分に通し番号を添える

> 3. 引用するときに気をつけること
> ① 正確に引用する
> ② 引用であることを明示する
> ③ ウェブサイトの記述を引用しない。ただし、インターネットで公開されている、書籍・論文・確かな基礎資料等は引用してよい

## 10.1 引用文献・参考文献とは

　まず初めに、引用文献とは何か、参考文献とは何か、どちらにもならないもの（文献情報を示す必要がないもの）はどういうものか（**要点16-1**）を説明する。

　引用文献とは、ある特定の文献だけが示していることについて言及する場合のものである。その文献によって明らかになった知見であり、他の文献では示されていない知見である。

　参考文献とは、ある特定の文献だけが示しているわけではなく、その学術分野の一般常識になっていることだけれども、一般的な学部生の知識を超える場合のものである。

　文献情報を示す必要がないものは、その学術分野の一般常識であり、かつ、一般的な学部生にとっても知識内にあるものである。

　たとえば、セイウチが哺乳類であることは、一般的な学部生ならば知っているであろう。だから、「セイウチは哺乳類」という記述には引用文献も参考文献も不要である。セイウチの妊娠期間は、一般的な学部生の知識は超えるであろうが、動物学の世界では一般的な知見である。セイウチの繁殖を説明した文献にならたいてい載っていることであり、特定の文献だけが示していることではない。だから、妊娠期間について記述する場合は参考文献が必要となる。かたや、セイウチの親個体の体重と新生児の体重の関係は、誰かが調べたからこそわかったことである。そのことを報告した文献によって示されたことなので引用文献が必要となる。

「ある特定の文献だけが示している」ということについて注意書きをしておく。これは、「ある特定の文献にしか書いていない」という意味ではない。たとえば、ダーウィンの進化論の解説はさまざまな文献に載っている。だから、「ある特定の文献にしか書いていない」ことではない。しかしもちろん、進化論を人類が手にしたのは、「ある特定の文献『種の起源』」のおかげである。進化論を紹介するときには『種の起源』を引用する必要がある。

ただし、情報というものは時間と共に、「ある特定の文献だけが示していること」から「その学術分野の一般常識」に変わっていくものである。たとえば、「植物は光合成をしている」ということは、発見当初は、「ある特定の文献のおかげで知り得たこと」という扱いであっただろう。だから引用文献が必要だった。しかし今となっては一般常識であり、引用文献も参考文献も不要である。そのため慣れないうちは、どれを一般常識と扱ってよいのかの判断に悩むこともあると思う。そのときは、他の文献ではどう扱われているのかを調べたり、教員や先輩に尋ねてみたりすることである。

## 10.2 引用文献の引用の仕方

本節では、引用文献から得た情報を、本文中でどのように引用するのかを説明する。引用の仕方には大きく分けて2通りある。1つは、引用文献の記述をそのまま紹介する方法である。もう1つは、引用文献の記述を引用者の言葉で（引用者なりにまとめて）紹介する方法である。それぞれについて説明しよう。

### 10.2.1 記述をそのまま紹介

引用文献の記述をそのまま紹介する方法は2つある。1つは、カギ括弧で紹介し、引用文献情報（下記の例の場合は「酒井（2022）」）を添える方法である（引用文献情報の示し方については10.3節を参照；p.163）。引

用文が短い場合に向いている。

> 酒井（2022）は、「臨時休業の札を出している寿司屋をよく見かけた。それはほとんどの場合、日本代表の選手が残らず食べてしまったためであった」と体験談を語っている。
>
> 「臨時休業の札を出している寿司屋をよく見かけた。それはほとんどの場合、日本代表の選手が残らず食べてしまったためであった」（酒井 2022）という体験談がある。

もう1つは、行を変えて引用文を挿入する方法である。引用文が長い場合に向いている。

> 以下は酒井（2022）の体験談である。
>
> 臨時休業の札を出している寿司屋をよく見かけた。それはほとんどの場合、日本代表の選手が残らず食べてしまったためであった。中には、1週間連続で臨時休業となる店もあった。試合前になると臨時休業がとくに増えた。
>
> この体験談からわかるのは、「よく食べる」ということである。

このように、引用文の前および後ろに空行を入れて、それが引用文であることがわかるようにする。

　記述をそのまま紹介する場合は、**引用文献の記述を1字1句正確に書く**こと。1字たりとも、引用者が勝手に直してはいけない。記述をそのまま紹介することが目的なのだから、これは当然である。引用文献の方に誤字脱字がある場合もそのまま紹介する。そして、誤字脱字部分の後ろに、「原文のまま」という意味の「（ママ）」を書き加える（「アホ」ではなく「ママ」である）。

> 「臨時休業の札を出している寿司屋をよく見かけた。それはほとんどの場合、日本代表の選手が残らず食べてしまって（ママ）ためであった」（酒井 2022）という体験談がある。

引用者に何らかの意図があり、引用部分を太字にしたり下線を付けたりしたい場合がある。その場合は、下記のように注釈を加える。

> 「臨時休業の札を出している寿司屋をよく見かけた。それはほとんどの場合、**日本代表の選手が残らず食べてしまったためであった**」（酒井 2022；太字は筆者）という体験談がある。

### 10.2.2　引用者の言葉で紹介

　引用文献の記述をそのまま紹介しない場合は、引用者の言葉で紹介することになる。この場合は、「」書きや行変え挿入をせず、普通の文章として引用する。

　心がけて欲しいのは、どの部分が引用なのかがわかるようにすることである。そのためには、引用部分のすぐ後ろに引用文献情報を添えるか、○○からの引用であると明示した上で紹介する。例を見てみよう。なお以下では、引用部分を下線で示している。実際の文では下線を付けなくてよい。

**引用部分のすぐ後ろに引用文献情報を入れる**

> <u>日本代表の選手の俊敏性が高いのは、寿司を食べているためである</u>（酒井 2021）。
>
> <u>日本代表の選手の俊敏性が高い</u>（酒井 2021）のは、寿司を食べているためである。

第3部　レポート・卒論の書き方

> 選手の俊敏性に関する研究は、<u>日本代表</u>（酒井 2021）・<u>スイス代表</u>（宮城 2022）・<u>パラグアイ代表</u>（森本 2022）についてのものがある。

こうすると、引用文献情報の前の部分（下線部分）が引用であり、その他の部分は引用者の考えであることになる。

　この方法の場合は、引用文献情報を入れる場所に注意する必要がある。引用文献情報の位置によって、どの部分が引用なのかが変わってしまうからである（上記の1つ目と2つ目の例のように）。たとえば、「酒井（2023）が、寿司の旨味成分に関する研究をしていた」と、引用者が述べたいとする。これをつい、下記のように引用してしまいがちである。

> 寿司に関する今までの研究は、その旨味成分の分析に関するものである（酒井 2023）。

しかしこれでは、「寿司に関する今までの研究は、その旨味成分の分析に関するものである」と、酒井（2023）が指摘したことになってしまう。正しくは、下記のように引用しなくてはいけない。

> 寿司に関する今までの研究（酒井 2023）は、その旨味成分の分析に関するものである。

◯◯からの引用であると明示した上で紹介する

> 酒井（2021）は、<u>日本代表の選手の俊敏性が高いのは、寿司を食べているためであること</u>を報告した。
>
> 酒井（2022）は以下の体験を記している。<u>寿司屋が臨時休業するのはほとん</u>

どの場合、日本代表の選手が残らず食べてしまったためであったという。

この方法の場合、どこまでが引用なのか明確になるよう、ことさら気を遣う必要がある。「○○からの引用」がどこまで続くのか、わかりにくくなりやすいからである。たとえば、以下の点線部は誰の言葉なのか？

酒井（2022）は以下の体験を記している。寿司屋が臨時休業するのはほとんどの場合、日本代表の選手が残らず食べてしまったためであったという。休業率は、試合前になると高くなる。

酒井（2022）の言葉とも取れるし、引用者の実感とも取れる。以下のような工夫をして、どちらなのか明確にしよう。

**酒井（2022）が述べている場合**
［太字：書き加えた文］
　酒井（2022）は以下の体験を記している。寿司屋が臨時休業するのはほとんどの場合、日本代表の選手が残らず食べてしまったためであったという。休業率は、試合前になると高くなる**という**。

**引用者の実感である場合**
［太字：書き加えた文］
　酒井（2022）は以下の体験を記している。寿司屋が臨時休業するのはほとんどの場合、日本代表の選手が残らず食べてしまったためであったという。**私の実感では、**休業率は、試合前になると高くなる。

## 10.3　本文中における、引用文献情報の示し方

本文中における、引用文献情報の示し方は2通りある（**要点16-2**；p.157）。以下で、それぞれについて説明しよう。

### 10.3.1 著者の苗字または組織名と、発表年とを示す

1つは、上記の例のように、著者の苗字または組織名と、発表年とを示す方法である。たとえば以下のようにだ。

---

**著者が1人の場合**
酒井（2022）は、「臨時休業の札を出している寿司屋をよく見かけた」と述べている。
「臨時休業の札を出している寿司屋をよく見かけた」（酒井 2022）とのことである。

**著者が2人の場合**
酒井と宮城（2021）は、寿司は大トロが一番と指摘している。
寿司は大トロが一番である（酒井と宮城 2021）。

**著者が3人以上の場合**（筆頭著者のみを示す）
酒井ら（2020）が、サーロインステーキのおかげ仮説を否定した。
サーロインステーキのおかげ仮説は否定された（酒井ら 2020）。

**組織の場合**
寿司研究会（2021）が、寿司は大トロが一番と指摘した。
寿司は大トロが一番である（寿司研究会 2021）。

**複数の文献が同じことを指摘している場合**（発表年の早い文献順に並べる。同一年のものは、五十音またはアルファベット順に並べる）
酒井（2020）・宮城（2022）・寿司研究会（2023）によると、寿司は大トロが一番である。
寿司は大トロが一番である（酒井 2020・宮城 2022・寿司研究会 2023）。

**同一の著者または組織による、同一年に発表された異なる文献を引用する場合**（発表年に a, b, c, … を添える。引用文献欄も同様にする）
酒井（2022a）が寿司仮説を支持する結果を示した。酒井（2022b）が温泉仮説を否定した。
これまで、寿司仮説の検証（酒井 2022a）と温泉仮説の検証（酒井 2022b）

が行われた。
＊以下の著者名は区別がつくので、a, b, c, …を添える必要はない。
酒井（2022）・酒井と宮城（2022）・酒井ら（2022）

**ウェブページ等のため、発表年を特定できない場合**（著者の苗字・組織名だけを記す）
寿司研究会が〇〇〇〇を公表している。
表 X のデータは、寿司研究会のウェブページ「△△」によるものである。

肝要なのは、引用文献欄の文献リストと 1 対 1 で対応づけできるようにすることである。本文中での引用を見れば、引用文献欄のどの文献かを特定でき、その逆もできるようにしよう。

書き方に関して注意事項を 2 つ述べておく。

著者名を示す場合は苗字だけでよい。「酒井 聡樹 2022」などと、著者の氏名をフルネームで示す必要はない。

本文中に、引用文献の詳しい情報（書名・論文情報・URL など）を入れる必要もない。たとえば、「酒井 2022；「なぜ、日本代表は強いのか？」サッカー研究 109 巻 1-12 ページ」などとする必要はない。本文中では「酒井 2022」とし、詳しい文献情報は引用文献リストに示せばよい。

### 10.3.2　引用部分に通し番号を添える

もう 1 つは、引用部分に通し番号を添える方法である。この場合は、あなたのレポート・卒論中で出てくる順番に 1，2，3，… と番号をふっていく。本文中では、「酒井[1]」「酒井[1)]」「酒井（1）」などというように、番号を上付きで添えたり、括弧書きで添えたりする。そして、引用文献欄の文献リストにも同じ番号を添える。

本文中での引用の仕方は以下の通りである（以下はすべて、「酒井[1]」という形式にしている）。

酒井[1]は、「臨時休業の札を出している寿司屋をよく見かけた。それはほとん

第3部　レポート・卒論の書き方

> どの場合、日本代表の選手が残らず食べてしまったためであった」と体験談を語っている。
>
> 「臨時休業の札を出している寿司屋をよく見かけた。それはほとんどの場合、日本代表の選手が残らず食べてしまったためであった」[1]という体験談がある。
>
> 日本代表の選手の俊敏性が高いのは、寿司を食べているためである[3]。
>
> 日本代表の選手の俊敏性が高い[3]のは、寿司を食べているためである。
>
> 選手の俊敏性に関する研究は、日本代表[3]・スイス代表[4]・パラグアイ代表[5]についてのものがある。
>
> 酒井[3]は、日本代表の選手の俊敏性が高いのは、寿司を食べているためであることを報告した。

　文全体に引用を付ける場合は、句点（マル）の前に番号を付けるようにしよう。

> **良い例**
> 日本代表の選手の俊敏性が高いのは、寿司を食べているためである[3]。したがって、寿司を積極的に食べる必要がある。
>
> **悪い例**
> 日本代表の選手の俊敏性が高いのは、寿司を食べているためである。[3]したがって、寿司を積極的に食べる必要がある。

句点の後ろにつけてしまうと、後ろの文「したがって、寿司を積極的に食べる必要がある」に対する引用のように思えてしまうからである。

## 10.4 文献を引用するときに気をつけること

文献を引用するときに気をつけて欲しいことが3つある（**要点16 - 3**；p.158）。以下で、それぞれについて説明していこう。

### 10.4.1 正確に引用する

当たり前のことであるが、引用は正確でないといけない。著者の意図と違う文脈で引用してもいけない。引用には責任を伴う。不正確な引用は、引用した文献を愚弄するものである。そして、あなたのレポート・卒論に対する信用を失墜させる。虚偽に基づいた主張は無価値なのだから、信用失墜は当然のことだ。

おそらく、故意に事実をねじ曲げた引用をする人はいないと思う。にもかかわらず、不正確な引用をしてしまう原因は2つ考えられる。

第1の原因は孫引きである。ある文献で引用してある記述を、原典の引用文献を読み直すことなくそのまま引用してしまう。引用元の文献での引用の仕方が不正確ならば、その不正確さをあなたもそのまま引き継いでしまうことになる。

第2の原因は、「こういう言及を引用したい」という書き手の願望である。この願望が、引用文献の著者の意図にない読解を産みだしてしまう。たとえば、「日本代表の選手は寿司が好き」という記述があったら引用したいと思っているとする。そして、「日本代表の選手は、寿司が好きといえば好きではある。でも、刺身の方が断然好きだ」という文献を見つけたとしよう。この文献を、「日本代表の選手は寿司が好き」と（刺身のことは触れずに）引用してしまう。しかしこれは明らかに、この文献の意図をねじ曲げている。

孫引きは厳禁。引用するときには、その文献をちゃんと読まなくてはいけない。その上で、著者の意図をねじ曲げずに正確に引用すること。このことを忘れてはならない。

## 10.4.2 引用であることを明示する

引用文献の記述を引用する場合は、**本文中**で、**引用であることを明示する**こと。これを怠ると剽窃となる。剽窃は、他者の成果を自分のもののごとく書く行為であり、窃盗という犯罪である。あなたにそのつもりはなくとも、引用を示さなかったら剽窃とみなされてしまうのだ。本文中では引用であることを示さずに、引用文献のリストに挙げておくというのも駄目である。必ず、本文中で明示しなくてはいけない。

「引用文献の記述を元にしたけれど、自分なりにまとめて書いたので引用を示しにくい」というのも通用しない。引用文献の記述をまとめたのならば、どの文献を元にしたのか明示し、どこからどこまでがまとめた文章なのかをわかるようにしないといけない。たとえば以下のようにである。

> <u>酒井（2022）</u>は、日本代表の俊敏性を支えているのは寿司であることを示した。この研究によると、日本代表の選手が寿司をたくさん食べた年ほど強かった。寿司を食べるかどうかの操作実験も行われた。日本代表の選手が寿司を絶ったら試合成績が下がった。一方、スイス代表とパラグアイ代表の選手が寿司を食べ始めたら試合成績が上がった。このように、寿司が強さの秘密となっていることがわかっている。

このように、冒頭で引用する文献を明示し、それに続いて、あなたなりにまとめた紹介文を示すとよい。

## 10.4.3 ウェブサイトの記述を引用しない

学術というものは、学術的な成果に基づいて発展していくものである。引用する文献も、学術的成果として確かなものでなくてはいけない。つまり、書籍・論文や、確かな組織（大学・研究機関・学会・公的機関・新聞社など）が提供している基礎資料等のみを引用文献とするべきである。これら書籍・論文・基礎資料等は、出版社・編集部・組織がその質を保証しており、研究成果として学術的に認められているからである。これらも、

電子版としてインターネットで公開されていることが多いけれど、「誰でも公開できる」ものとは質が違う。よって、引用文献の対象となる。

かたやウェブサイトには、さまざまな情報が散乱している。ここでいうウェブサイトの情報とは、上述の、電子版の書籍・論文・確かな資料等以外のもののことである。ウェブサイト情報の質は玉石混淆であろう。共通して言えるのは、学術の世界では、**ウェブサイトの情報は学術的成果として認められない**ということである。Wikipedia の情報もしかりだ。だから、ウェブサイトの情報を引用文献としてはいけない。ウェブサイトの記述を引用した時点で、あなたのレポート・卒論の信用は失墜する。

## 10.5　参考文献についての注意事項

本節では、参考文献についての注意事項を 2 つ述べる。

参考文献に関しては、ウェブサイトの情報も参考にしてよい。インターネット公開の書籍・論文・確かな資料等はもちろん、それ以外のものも参考にしてよい。参考文献から得る情報は、その学術分野の一般常識だからである。一般常識ならば、信頼できるウェブサイトで学ぶことができる。ただし、複数のウェブサイトを調べて、確かであることを確認するようにしよう。とはいってもやはり、しっかりとした書籍（教科書や解説書）を読んで勉強することを強く推奨したいが。

参考文献は、本文中でその文献情報を示す必要はない。「寿司のシャリには、白酢を使ったものと赤酢を使ったものとがある（寿司研究会 2021）」などと、文献情報（この例では「寿司研究会 2021」）を示す必要はない。一般常識であり、あなたが実際に参考にした文献によって示されたわけではないからだ。そのかわり、参考文献リストにその文献の情報を載せる。これは怠ってはならない。

## 10.6　引用文献・参考文献のリスト

レポート・卒論の末尾には引用文献と参考文献のリストを載せる。本節では、その作り方を説明する。

### 10.6.1　リスト中における、著者名の表記の仕方

まず初めに、著者名の表記の仕方について、基本的なことを説明しておく。

著者名は、本文中では苗字のみを書くけれど、文献リスト中では、フルネームまたは「苗字，名前のイニシャル」を書く。フルネームとは文字通り、「酒井　聡樹」「チャールズ・ダーウィン」などである。日本語の文献（翻訳文を含め）の場合は、このようにフルネームで書けばよい。「苗字，名前のイニシャル」は通常、欧文の文献に対して用いられる。たとえば、「Sakai, S.」「Dawin, C.R.」と書く。ここで注意して欲しいのは、「名前 苗字」という順番の表記の国の人でも、苗字を先にするということである。

著者が3人以上の文献は、本文中では「酒井ら（2022）」などと略す。しかし文献リスト中では、全著者の氏名を書く。書き方は上述のとおり、フルネームまたは「苗字，名前のイニシャル」である。

### 10.6.2　引用文献・参考文献に付すべき情報

では、各文献に付すべき情報を具体的に見ていこう。

---

**書籍**（電子版があるものを含む）
全著者の氏名または組織名　発行年『書名』発行元　発行元の所在地

宮城　じゅり・森本　あん・酒井　聡樹（2022）『寿司の思い出』仙台出版会　仙台

---

発行元の所在地も書くのは、出版社を特定しやすくするためと思う。

**複数の著者が分担執筆した書籍の中の、特定の分担部分**（電子版があるものを含む）
その著者の氏名（複数いるなら全著者のもの）　発行年　分担部分の章の題名　書籍の全編集者の氏名または組織名『書名』　分担部分の最初と最後のページ　発行元　発行元の所在地

宮城　じゅり（2021）　偉大なる2人の選手　酒井　聡樹・森本　あん編『日本代表の歴史』　11-25頁　西東京出版　東京

**冊子体の論文**（印刷物として発行されている論文；電子版もあるものを含む）
全著者の氏名または組織名　発表年　論文タイトル　掲載されている雑誌名　巻番号　最初と最後のページ

酒井　聡樹・宮城　じゅり・森本　あん・仙台　リサ子（2022）　なぜ、日本代表は強いのか？　サッカー科学　14巻　115-123頁

多くの論文は、印刷物としての冊子体と、インターネットで公開される電子版との両方で出版される。その場合は、冊子体の方の文献情報を示すのが慣例である。

**電子版のみがある論文**（冊子体がないもの）
全著者の氏名または組織名　発表年　論文タイトル　掲載されている雑誌名　巻番号　文献番号等（または、最初と最後のページ）　doi（doi がない場合は URL）

酒井　聡樹・宮城　じゅり（2020）特上寿司と特上刺身は、試合成績に異なる影響を及ぼすのか？　スポーツ研究　11巻　e313　doi: xxxx/yyyyyyyyy

電子版のみが発行される論文も多い。その場合は、示すべき情報が冊子体のものと少し異なる。文献番号等（上記の例では e313）とは、その論文

に割り振られているはずのものである（論文のどこかに書いてあるはず）。電子版のみの論文にはページ番号がないことが多いので、その代わりとなるものだ。冊子体同様に、その巻号の中でのページ番号が付いている論文の場合には、ページ番号を載せればよい。doi は digital object identifier の略号であり、インターネット上の恒久的な住所のようなものである。URL は変わる可能性があるが、doi は変わることがない。そのため、doi がわかりさえすれば、インターネット上にその論文が存在している限り探し当てることができる。ただし、doi が付いていない論文の場合は、URL を載せるようにしよう。

---

ウェブページ
制作者名または制作組織名（不明なら省略）　ウェブサイト名または記事名　閲覧した時点での最終更新年（不明なら省略）　URL　閲覧した年月日（複数回閲覧した場合は最終日のもの）

若手研究者のお経（2021）
　　http://www7b.biglobe.ne.jp/~satoki/ronbun/ronbun.html　2021年10月25日閲覧
※「若手研究者のお経」はウェブサイト名である

---

ウェブページは内容が書き換えられうるし、URL も変わりうるので、閲覧日を載せておく必要がある。

　各情報の書式（書体とか、スペースで区切るのかカンマで区切るのかといったこと）は学術分野によって異なりうる。書式については、あなたの分野のレポート・卒論を参考にして欲しい。

### 10.6.3　引用文献・参考文献の並べ方

　文献リストを、レポート・卒論の末尾——謝辞の直後か直前——に並べる。引用文献と参考文献とを分けて、「引用文献」「参考文献」という見出しをそれぞれに付けてもよいし、一緒にして、「引用文献・参考文献」と

いう見出しを付けてもよい。

　文献を並べる順番は、本文で、著者・組織名を用いて引用する場合と通し番号を用いて引用する場合（10.3節参照；p.163）とで異なる。

**本文で、著者・組織名を用いて引用する方式の場合**
　この場合は、各文献の筆頭著者の五十音またはアルファベット順に並べる。アルファベット順は、引用文献に外国語のものが含まれている場合（あるいは、すべてが外国語のものの場合）に採用する。同じ著者の文献がある場合は、発表年の早い順に並べる。必要に応じて、発表年にa, b, c, … を添え、文献が区別できるようにする。

---

**五十音順**

酒井 聡樹・宮城 じゅり・森本 あん・仙台 リサ子（2022）なぜ、日本代表は強いのか？　サッカー科学　14巻　115-123頁

宮城 じゅり（2021a）偉大なる2人の選手　酒井 聡樹・森本 あん編『日本代表の歴史』　11-25頁　西東京出版　東京

宮城 じゅり（2021b）『寿司を食べて強くなった』　仙台出版会　仙台

若手研究者のお経（2021）
　　http://www7b.biglobe.ne.jp/~satoki/ronbun/ronbun.html　2021年10月25日閲覧

**アルファベット順**

宮城 じゅり（2021a）偉大なる2人の選手　酒井 聡樹・森本 あん編『日本代表の歴史』　11-25頁　西東京出版　東京

宮城 じゅり（2021b）『寿司を食べて強くなった』　仙台出版会　仙台

Sakai, S., Miyagi, J., Morimoto, A., and Sendai, R. (2022) Why is the Japan national team strong? Football Science 14:115-123

若手研究者のお経（2021）
　　http://www7b.biglobe.ne.jp/~satoki/ronbun/ronbun.html　2021年10月25日閲覧

## 本文で、通し番号を用いて引用する場合

　引用文献の頭に通し番号をつける。通し番号は、本文中で引用した順番である。そして、この通し番号順に並べる。通し番号で区別がつくので、同じ著者の同じ発表年の文献でも、a, b, c, … の添え字は不要である。「引用文献・参考文献」として一緒のリストにする場合は、引用文献の後に、参考文献（通し番号がない）を五十音またはアルファベット順で並べる。

---

**引用順**（これは、引用文献と参考文献を一緒にしている形式である）
1．宮城　じゅり（2021）偉大なる２人の選手　酒井　聡樹・森本　あん編『日本代表の歴史』　11-25頁　西東京出版　東京
2．酒井　聡樹・宮城　じゅり・森本　あん・仙台　リサ子（2022）なぜ、日本代表は強いのか？　サッカー科学　14巻　115-123頁
3．宮城　じゅり（2021）『寿司を食べて強くなった』　仙台出版会　仙台
若手研究者のお経（2021）
　　http://www7b.biglobe.ne.jp/~satoki/ronbun/ronbun.html　2021年10月25日閲覧
※「若手研究者のお経」は参考文献であり、引用番号がない

# 第11章
# 図表の提示の仕方

自分でデータを取った場合は、何らかの図表を用いてデータを示すことが多い。実験・調査等の方法の説明に図表を用いる場合もある。データ取りをしたわけではない場合も、概念等を説明する図を用いることがある。本章では、図表の提示の仕方を説明する。

## 要点17
### 図表の提示の仕方

1. 図表にすべきもの
   ◇ 複雑なデータや多量のデータ
     ＊単純で少量のデータは、図表にせず本文中に書く
   ◇ 言葉だけでは説明しにくい概念等
   ◇ 写真等、図でしか表しようがないもの
2. 図にするべきか、表にするべきか
   図：データ全体から言えることを伝えたい場合
   表：個々の数値を伝えたい場合
3. 図表およびその説明文を見ればわかるようにする
   ◇ 「タイトル＋補足説明」という形の説明文を付ける
   ◇ 軸名と単位を書く
4. 図を作る上での注意事項
   ◇ 区別のつきやすい記号・線にする
   ◇ 原因（独立変数）を横軸に、結果（従属変数）を縦軸にする
   ◇ 比較が目的の関連データは1つの図に組み込む
   ◇ それ以外の関連データは、別々の図にして側に並べる

> 5．表を書く上での注意事項
>   ◇ データ組の各要素を横方向に並べ、各データ組を縦に積み重ねる
>   ◇ 関連するデータはすべて1つの表に組み込む

## 11.1 図表にすべきもの

まず初めに、どういう場合に図表を用いて説明すべきなのか（**要点17-1**）を述べよう。

複雑なデータや多量のデータを提示する場合には図表を用いる。その方がわかりやすいからだ。たとえば**図7**（p.129）のデータを、「寿司を41回食べた年は4勝、76回食べた年は5勝、……」などと、図表を用いずに説明しようとしてもわかりにくいだけである。

一方、単純で少量のデータならば図表で示す必要はない。たとえば、「2020年には、寿司を45回食べ4勝」ということだけ（他の年のデータはない）を伝えたい場合は、図表にするまでもない。そのように本文中に書けばすむことだ。

何らかの概念等を説明したいとき、本文中で言葉だけで説明するのは大変と感じることがあるかもしれない。その場合は、概念図を用いて説明するようにしよう。たとえば、寿司仮説の全貌を説明しようとしたとする。「ネタは良質なタンパク質である。しゃりは適度な炭水化物である。一方、寿司は美味しいので、食べると気分が向上する。……」などといったことを言葉だけで説明するよりも、**図8**のような概念図を用いて説明する方がわかりやすいであろう。

写真や実験装置の説明図など、図でしか示しようがないものはもちろん図にする。

第11章　図表の提示の仕方

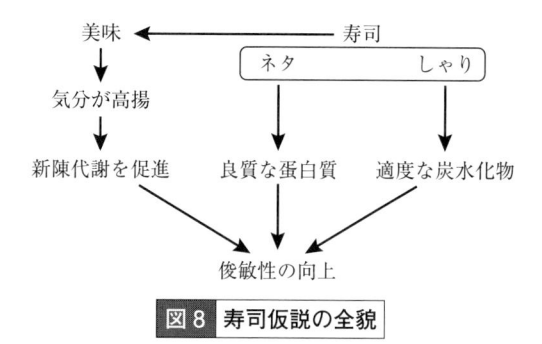

```
美味 ←─────────── 寿司
 ↓              ┌─────────────┐
気分が高揚       │ネタ    しゃり│
 ↓              └──┬───────┬──┘
                   ↓       ↓
新陳代謝を促進  良質な蛋白質  適度な炭水化物
      ↓            ↓            ↓
         俊敏性の向上
```

**図8　寿司仮説の全貌**

寿司の美味しさと、ネタおよびしゃりの栄養成分の相乗効果で、俊敏性の向上をもたらしている。

## 11.2　図にするべきか、表にするべきか

　数値データは、図でも表でも表現することができる。たとえば、日本代表の選手が1年間に寿司を食べた回数とその年の勝利数との関係は、図で示すことも表で示すこともできる（**図9**）。ではどちらを採用すべきなのか。その原則は、その**データ全体から言える傾向を伝えたい場合は図**にし、データ全体の傾向というよりも、**個々の数値を伝えたい場合は表**にすることである（**要点17-2**；p.175）。前者の場合、データ全体を見比べて何らかのことを引き出す。だから、データ全体を視覚的に捉えることができる図が適している。後者の場合、大切なのは個々の数値である。個々の数値を正確に伝えるためには表の方が良い。

　具体例を見てみよう。図にするべきは以下のようなものだ。たとえば**図9**は、日本代表の選手が寿司を食べた回数と勝利数との関係を伝えるためのものである。これは、データ全体から傾向を読み取って欲しいことだ。だから図（**図9左**）にする。表（**図9右**）では、どういう傾向があるのかの読み取りに時間がかかってしまう。あるいは、日本代表の選手に好きな食事をアンケートしたところ、寿司が好きな選手が多かったことを伝えたいとしよう。これも、データ全体から傾向を読み取って欲しいことなので図にする（**図10左**）。表（**図10右**）だと、数値をいちいち読み比べなくて

*177*

第3部　レポート・卒論の書き方

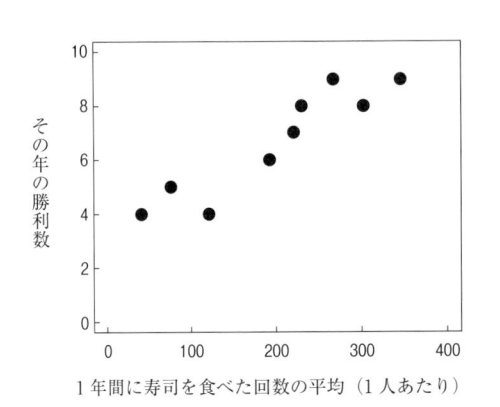

| 寿司を食べた<br>回数の平均 | 勝利数 |
|---|---|
| 41 | 4 |
| 76 | 5 |
| 121 | 4 |
| 193 | 6 |
| 221 | 7 |
| 230 | 8 |
| 268 | 9 |
| 303 | 8 |
| 346 | 9 |

図9　図にするべきもの

日本代表の選手1人あたりが1年間に寿司を食べた回数の平均と、その年の勝利数との関係を図および表で表した例。データ全体から傾向を読み取って欲しいことなので、図が適している。

はいけないので、ちょっと手間である。

　一方、表にするべきは以下のようなものだ。たとえば、何カ所かで植物を採取してきて、形態等の測定をしたとする。採取場所の情報を示すのには表が適している（**図11右**）。全体として何かを言いたいわけではなく、個々の採集場所について伝えたいからだ。これを図（**図11左**）にしてしまっては、かえってわかりにくいであろう。

*178*

第 11 章　図表の提示の仕方

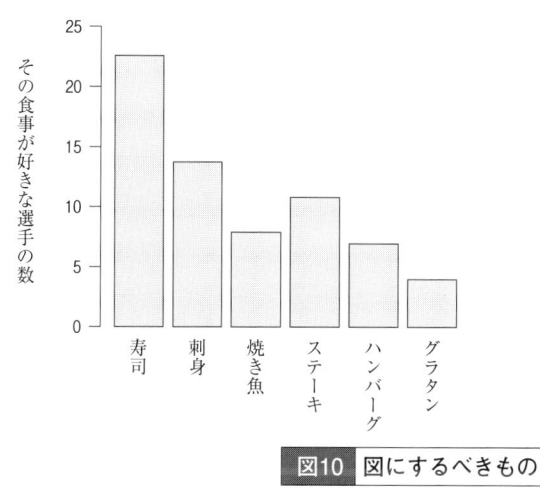

| 食事 | 好きな選手の数 |
|---|---|
| 寿司 | 23 |
| 刺身 | 14 |
| 焼き魚 | 8 |
| ステーキ | 11 |
| ハンバーグ | 7 |
| グラタン | 4 |

**図10** 図にするべきもの

日本代表の選手に好きな食事をアンケートした結果（複数回答可）の例。データ全体から傾向を読み取って欲しいことなので、図が適している。

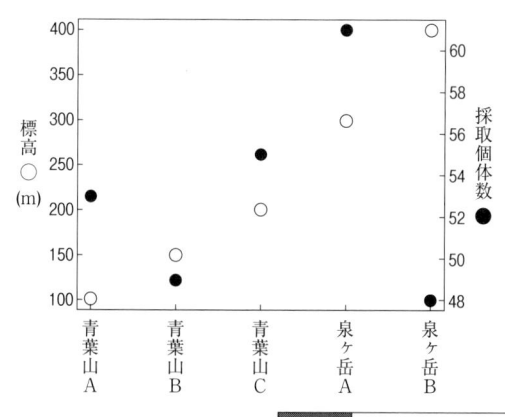

| 採取場所 | 標高 (m) | 採取個体数 |
|---|---|---|
| 青葉山 A | 100 | 53 |
| 青葉山 B | 150 | 49 |
| 青葉山 C | 200 | 55 |
| 泉ヶ岳 A | 300 | 61 |
| 泉ヶ岳 B | 400 | 48 |

**図11** 表にするべきもの

形態等の測定をするために植物を採取し、その採取場所の情報を示した例。個々の採取場所のことを伝えたいので表が適している。

## 11.3　図表およびその説明文を見ればわかるようにする

　図表は、**本文を読まなくても、図表本体とその説明文だけで理解できる**ようにしよう（**要点17-3**；p.175）。そうすれば読者は、図表が持つ情報を素早く理解することができる。本文を読まないと理解できない図表というものは、読者をいらいらさせるものである。本節では、図表の説明文の書き方を説明する。

### 11.3.1　「タイトル＋補足説明」という形の説明文を付ける

　**図表には必ず説明文を付ける**。たとえば、**図7**（p.129）の「日本代表の選手1人あたりが1年間に……」や、**表1**（p.126）の「寿司を食べるかどうかの操作実験をした……」が説明文である。こうした説明文がないと、図表を読解できずに読者は困ってしまうことになる。

　説明文は、「その図表のタイトル＋補足説明」という形にする。説明の第1文が、その図表の中身を表すタイトルである。補足説明が必要ならば、それに続く文章で説明を続ける。たとえば図7では、第1文「日本代表の選手1人あたりが1年間に……」がタイトルで、第2文「勝利数は、対戦相手の実力が揃うように……」が補足説明である。補足説明は、本文に書いたことと重複しても構わない。ほとんど同じ説明を繰り返す必要はないが、その図表を理解するのに必要最小限のことは書くようにしよう。

　図の説明文は図の下に（**図7**参照；p.129）、表の説明文は表の上に書く（**表1**参照；p.126）。表の場合は、説明文以外に脚注を付けることもある。表中で用いた統計記号の説明などを、説明文からは切り離して書くのだ。脚注は表の下に書く。

### 11.3.2　軸名・単位を必ず書く

　図の説明文以外に、**図の軸等の説明も忘れずに書く**こと。軸の説明とは、

- ☐ 軸の説明文
- ☐ 単位
- ☐ 目盛りの数値

などである。こうした説明がないとその図を理解できなくなってしまう。とくに、単位を書き忘れることが多いので注意しよう。たとえば、グラムなのかミリグラムなのかわからなかったら致命的である。

## 11.4　図表を載せる場所

図表は、本文でその図表を参照している部分の近くに組み込むようにしよう。むろん、図表本体とその説明文を一緒に載せる。ただし、本文中に組み込むことが無理ならば、引用文献リストの後ろに全図表をまとめて載せる。

## 11.5　図を作る上での注意事項

本節では、図を作る上での注意事項（**要点17-4**；p.175）を説明する。

### 11.5.1　区別のつきやすい記号・線にする

図に用いる記号（○●△など）や線の種類は、一目で区別がつくものにしよう。記号の大きさ・線の太さも見やすいものにしよう。とくに、Excelで作った図を白黒印刷する場合は注意が必要だ。Excelはカラーで作図するので、そのまま白黒印刷するとわかりにくくなってしまうのだ。線の種類（実線・点線・破線など）や記号の種類（○△□◇など）を使い分けて、識別しやすくしよう。

カラー印刷にできる場合は、記号・線の識別のためにカラーを積極的に使ってよい。白・黒・赤・青などといった色の違いを組み合わせる方が、

記号や線の種類だけで識別するよりもわかりやすいであろう。ただし、色盲の方への配慮を忘れてはならない。とくに、赤と緑とを同時に使わないように気をつけよう（赤緑色盲の方が非常に多いので）。

記号などの説明は、可能ならば図中に書き込んだ方がよい。たとえば**図13の左図**（p.184）では、●と○の説明を図中に書いている。記号とその説明とが近くにある方がわかりやすいからだ。ただし、図中に十分な余白がなかったり記号の種類が多すぎたりする場合には、図中には書き込まずに図の説明文中に書くようにしよう。これらの場合、無理して図中に書き込んでも図が汚らしくなるだけである。

### 11.5.2 説明変数を横軸に、目的変数を縦軸にする

説明変数（原因）と目的変数（結果）の関係を図にするときには、**説明変数を横軸に、目的変数を縦軸にする**。たとえば**図12**では、日本代表の選手が1年間に寿司を食べた回数が原因であり、その年の勝利数が結果である。だから縦軸・横軸は、**図12**の左図のようにするべきだ。右図のようにしてはなんとも見にくいであろう。

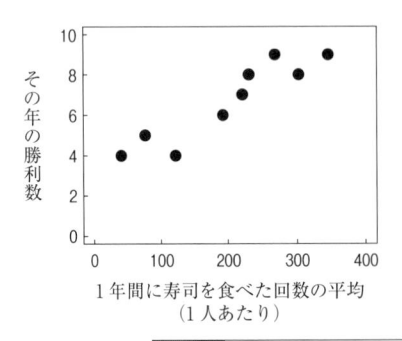

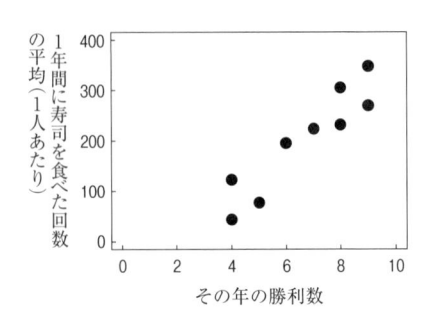

**図12 独立変数（原因）と従属変数（結果）の示し方**

日本代表の選手1人あたりが1年間に寿司を食べた回数の平均と、その年の勝利数との関係の例。原因（日本代表の選手が1年間に寿司を食べた回数）を横軸に、結果（その年の勝利数）を縦軸にする（左図）。右図のようにしてはいけない。

説明変数と目的変数とをこのように配置する理由は、単なる慣習というよりも、人間の視覚特性によるものだと思う。つまり、人間の視覚は、縦方向の変化に弱く横方向の変化に強い（たとえば、垂直距離に比べ水平距離を人間はつかみやすい）。だから、横方向に目を動かす方がデータの傾向をつかみやすいのであろう。**図12**のようなデータは、説明変数の値の動きに対して目的変数の値がどう対応するのかを見るのが目的である。説明変数が横軸ならば、目を横方向に動かすことになって見やすいわけである。

### 11.5.3　比較が目的の関連データは1つの図にし、それ以外の関連データは別々の図にして側に並べる

　関連するデータはまとめて示すべきである。その方が、関連するデータの比較がしやすいからだ。

　まとめ方は、それら関連データの提示目的によって異なる。

　関連データ間で比́較́す́る́こ́と́が目的である場合は、1つの図にまとめるべきだ。たとえば、寿司は、気温が低い秋冬の試合よりも、気温と湿度が高くて過酷な春夏の試合でより効果を発揮するのかどうかを調べたとする。それならば、**図13**の左図のように、春夏の試合と秋冬の試合のデータを1つの図にまとめるべきである。別々の図（**図13**の右図）を作ったのでは、両者の比較がしにくくなってしまう。

　上記以外の場合は、関連するデータを1つの図にまとめ込まずに、いくつかの図に分割するようにしよう。そして並べて示し、同時に見やすいようにしておく。たとえば、A）日本代表の選手が寿司を食べた回数と勝利数との関係、B）日本代表の選手が寿司を食べた回数と、日本代表にオーラを感じた人の割合との関係を調べたとする。この場合は、この2つの関係性を比較したいわけではない。だから、**図14**の左のように、2つの関係性の図を分けて並べて示すべきである。**図14**の右図のようにしてしまうと、「両者を比較せよ」という不必要なメッセージを読者に与えてしまうことになる。

第3部　レポート・卒論の書き方

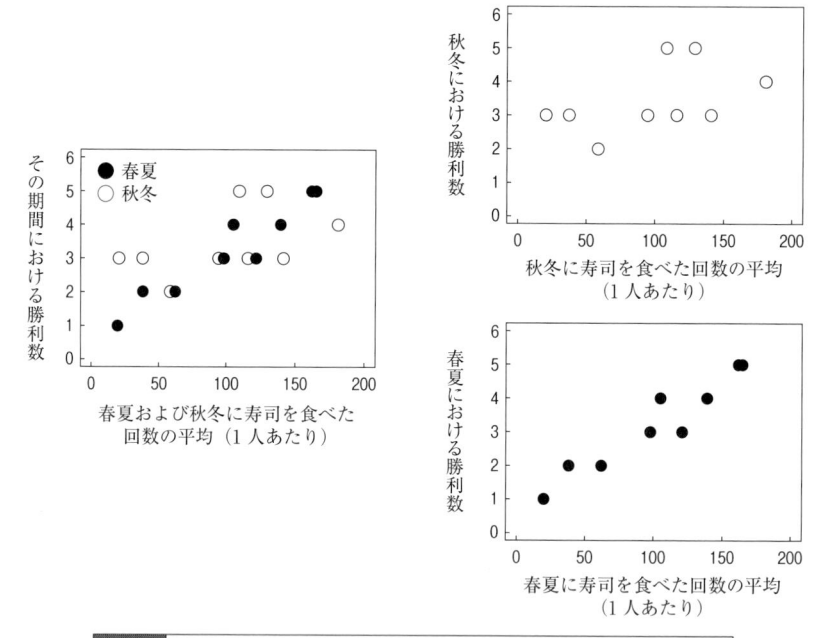

**図13　図における、両者の比較が目的の関連データのまとめ方**

春夏および秋冬それぞれにおける、日本代表の選手がその期間に寿司を食べた回数の平均と、その期間での勝利数との関係の例。春夏と秋冬との比較が目的ならば、両者を1つの図にまとめて描く（左図）。右図のように別々の図にしてしまっては比較がしにくくなる。

第 11 章　図表の提示の仕方

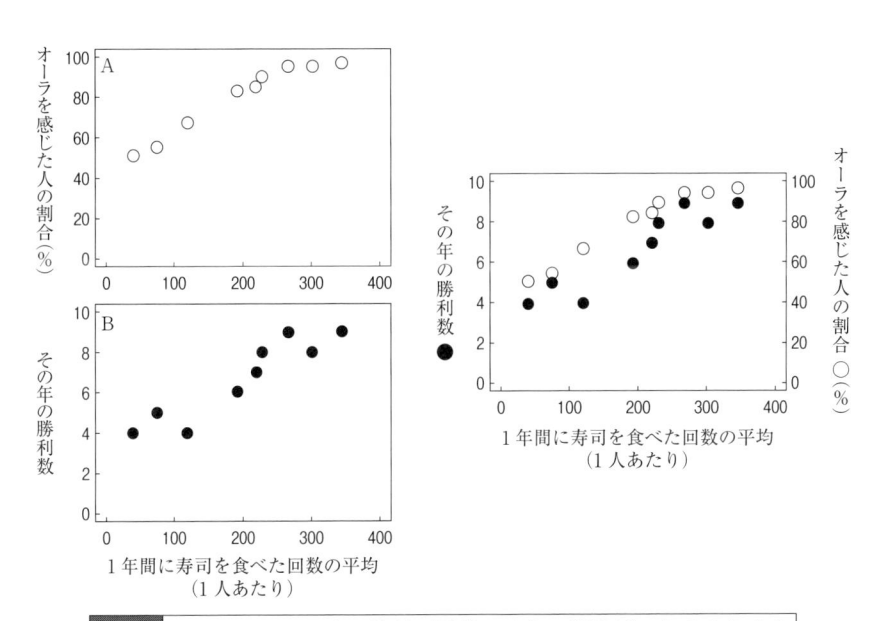

**図14**　図における、両者の比較が目的ではない関連データのまとめ方

A) 日本代表の選手が寿司を食べた回数と、日本代表にオーラを感じた人の割合との関係、B) 日本代表の選手が寿司を食べた回数と勝利数との関係を調べた例。両者の比較が目的ではないのならば、別々の図にして並べて示す（左図）。右図のように1つの図にしてしまうと、「両者を比較せよ」という不必要なメッセージを読者に与えることになる。

*185*

## 11.6 表を作る上での注意事項

本節では、表を作る上での注意事項（**要点17-5**；p.176）を説明する。

### 11.6.1 データ組みの各要素を横方向に並べ、各データ組みを縦に積み重ねる

表中でのデータの並べ方にも原則がある。たとえば、ある生物を採取して調べた研究で、採取場所・その標高・各採取場所での採取個体数を表にしたいとする（**図15**）。この場合、「採取場所・標高・採取個体数」で1組のデータである。このように、何種類かのデータが1組となっているものを表にする場合は、**データ組の各要素を横方向に並べ、各データ組を縦に積み重ねるようにする**（**図15**左表のように）。こうする理由も、人間の視覚特性に関係すると思う。1組のデータが横方向に並んでいれば、「青葉山A・100m・53個体」と自然に目に入ってくる。これが**図15**右表のようだと、「100m・150m・200m・……」と目に入ってきてしまうのだ。

| 採取場所 | 標高 (m) | 採取個体数 |
|---|---|---|
| 青葉山 A | 100 | 53 |
| 青葉山 B | 150 | 49 |
| 青葉山 C | 200 | 55 |
| 泉ヶ岳 A | 300 | 61 |
| 泉ヶ岳 B | 400 | 48 |

| | 採取場所 | | | | |
|---|---|---|---|---|---|
| | 青葉山 A | 青葉山 B | 青葉山 C | 泉ヶ岳 A | 泉ヶ岳 B |
| 標高 (m) | 100 | 150 | 200 | 300 | 400 |
| 採取個体数 | 53 | 49 | 55 | 61 | 48 |

**図15　表中でのデータの並べ方**

ある生物を採取して調べた研究で、採取場所・その標高・各採取場所での採取個体数を表にした例。「採取場所・標高・採取個体数」で1組のデータである。何種類かのデータが1組となっている場合は、データ組の各要素を横方向に並べ、各データ組を縦に積み重ねるようにする（左表）。そうすれば、「青葉山A・100m・53個体」と自然に目に入ってくる。右表のようにしてしまうと、「100m・150m・200m・……」と目に入ってきてしまう。

## 11.6.2　関連するデータはすべて1つの表に組み込む

　表の場合は、関連するデータをすべて1つの表にまとめてしまってよい。データの比較が目的であろうとなかろうとである。たとえば**表1**（p.126）は、日本代表に対する実験結果とスイスおよびパラグアイ代表に対する実験結果をまとめて載せている。しかし、日本の試合成績と、スイスおよびパラグアイの試合成績とを比較することが目的ではない。それでも別に気にならないであろう。関連データが同じ表に並んでいるのは、関連する図が隣同士に並んでいるようなものだからである。

　両者は、寿司を絶った場合と食べ始めた場合の試合成績の変化という、相補的な実験のデータである。1つの表にまとめることで、寿司を絶ったら試合成績が下がり、食べ始めたら上がったという結果を捉えやすくなっている。これを2つの表（日本代表の実験結果の表と、スイスおよびパラグアイ代表の実験結果の表）に分けてしまうと、かえってわかりにくくなる。

# 第12章 説解
# 要旨の書き方

卒論には要旨を付ける。本章では、要旨の書き方を解説する。要旨はいつ書くとよいのか。良い要旨とはどういうものか。良い要旨にするためには何を書けばよいのか。以下で、これらのことを説明していこう。

通常、レポートには要旨は不要である。レポートを書くことが目的の人は、本章を読み飛ばしても構わない。

---

**要点18**

**要旨の書き方**

() 内は、序論の骨子（**要点7**；p.60）の対応項目

1. 良い要旨とは
   ◇ 卒論の中身を短い言葉で正確に伝えている
2. 要旨で書くこと
   ◇ 取り組む問題（どういう問題に取り組むのか）
   ◇ 問題解決のためにやったこと（何をやるのか）
   ◇ 研究対象
   ◇ 研究手法
   ◇ 研究結果：考察を含めることもある
   ◇ 結論

## 12.1　良い要旨とは

まず初めに、良い要旨の条件を確認しておく。それは、**卒論の中身を短い文章で正確に伝えていること**である（**要点18−1**）。

中身を正確に伝えるのは当然のことである。そのための要旨なのだから、中身が正確に伝わらないものは論外である。

それに加え、できるだけ短くあるべきだ。読者が要旨に求めることは、卒論の中身を素早く知ることだからである。長い要旨は読む気をなくす。情報を絞って、適度な長さ（数百字；学問分野によって異なる）の要旨を書くようにしよう。

## 12.2　要旨は、本文が完成してから書く

要旨は、本文が完成してから書くと楽である。たいていの場合、序論と考察の章に卒論の鍵となる文章がある。それらをコピーしてつなげれば要旨の骨子はできてしまう。ただしもちろん、これで要旨が出来上がりのわけもない。次節以降の解説に則って、完璧な要旨に仕上げていかなくてはいけない。

## 12.3　要旨で書くべきこと

本節では、要旨で書くべきこと（**要点18−2**）を説明する。要は、どういう問題に取り組みどういう結論を得たのかまで、その全容を正確に伝えるのである。

これらをうまく伝えるには、以下のような構成の要旨が良いであろう。

---

1　複数の研究方法を用いた場合や研究方法が複雑な場合
最初の1〜2文：どういう問題に取り組むために何をやったのかを

述べる。
続く文章（適度な長さで）：研究対象・研究方法・研究結果を示す。
最後の1〜2文：結論を述べる。

2　研究方法が単純で、一言で言い表せる場合
最初の1〜2文：どういう問題に取り組むために何をやったのかを述べる。研究対象・研究方法も同時に述べてしまう。
続く文章（適度な長さで）：研究結果を示す。
最後の1〜2文：結論を述べる。

日本代表の例で見てみよう。複数の研究方法を用いているので、上記の1の構成になっている。

> **例63　複数の研究方法を用いた場合や研究方法が複雑な場合**
> **なぜ、日本代表は強いのか？：勝利を呼ぶ寿司仮説の検証**
> ［取り組む問題］日本代表が強い理由を探るために、［やったこと］選手が寿司を食べているから強いという仮説を提唱し、その検証を行った。［方法］2014〜2022年の各年に、日本代表の選手1人あたりが寿司を食べた回数を推定し、その年の勝利数との関係を見た。［結果］その結果、寿司をたくさん食べた年ほど勝利数が多いことがわかった。［方法］一方、2022年に、日本代表の選手に、試合前の2週間寿司を絶ってもらうということを7試合に対して行った。［結果］すると、その後の試合での勝利数が減ってしまった。［方法］これに対して、2022年に、スイス代表とパラグアイ代表の選手に、試合前の2週間寿司を食べ続けてもらうということを7試合に対して行った。［結果］その結果、その後の試合での勝利数が増えた。［考察］これら操作実験の結果は、寿司を食べると強くなることを示している。［結論］以上のことから、日本代表が強い理由の1つは、選手が寿司を食べているからであると結論した。

最初の1文で、取り組む問題と問題解決のためにやったことをまとめて述

べている。続く文で、「研究方法」「研究結果」という説明を繰り返し、最後に結論で締めている。

## 12.4 わかりにくい要旨

本節では、わかりにくい要旨の典型例を3つ紹介する。

### 12.4.1 取り組む問題が不明

1つ目は、取り組む問題が不明なものである。たとえば、例63の要旨が以下のようであったらどうだろうか。

---
**例63の改悪例1** 取り組む問題を書いていない
なぜ、日本代表は強いのか？：勝利を呼ぶ寿司仮説の検証
[薄字：改悪前の文　太字：改悪後の文]
[取り組む問題]日本代表が強い理由を探るために、[やったこと]選手が寿司を食べているから強いという仮説を提唱し、その検証を行った。**[やったこと]寿司が、日本代表の強さに及ぼす影響を解析した。**[方法]2014〜2022年の各年に、日本代表の選手1人あたりが寿司を食べた回数を推定し、その年の勝利数との関係を見た。[結果]その結果、寿司をたくさん食べた年ほど勝利数が多いことがわかった。[方法]一方、2022年に、日本代表の選手に、試合前の2週間寿司を絶ってもらうということを7試合に対して行った。[結果]すると、その後の試合での勝利数が減ってしまった。（以下略）

---

この要旨は取り組む問題を述べていない。太字部は、問題解決のためにやったことであって、取り組む問題ではない。それゆえ読者は、どういう目的でこれを調べたのかいらいらしながら読み進めることになる。

### 12.4.2 問題解決のためにやったことが不明

次は、問題解決のためにやったことが不明な例である。

第3部　レポート・卒論の書き方

> **例63（p.190）の改悪例2**　問題解決のためにやったことを書いていない
> なぜ、日本代表は強いのか？：勝利を呼ぶ寿司仮説の検証
> ［薄字：改悪前の文　太字：改悪後の文］
> 　［取り組む問題］日本代表が強い理由を探るために、［やったこと］選手が寿司を食べているから強いという仮説を提唱し、その検証を行った。［取り組む問題］**日本代表が強い要因を解析した。**［方法］2014〜2022年の各年に、日本代表の選手1人あたりが寿司を食べた回数を推定し、その年の勝利数との関係を見た。［結果］その結果、寿司をたくさん食べた年ほど勝利数が多いことがわかった。［方法］一方、2022年に、日本代表の選手に、試合前の2週間寿司を絶ってもらうということを7試合に対して行った。［結果］すると、その後の試合での勝利数が減ってしまった。（以下略）

これもまた戸惑うであろう。問題解決のためにやったことの概要がわからないまま、研究方法と結果の詳細に入ってしまうためである。

### 12.4.3　結論が不明

最後は、結論が不明な例である。

> **例63（p.190）の改悪例3**　結論を書いていない
> なぜ、日本代表は強いのか？：勝利を呼ぶ寿司仮説の検証
> ［薄字：削除した文］
> 　［取り組む問題］日本代表が強い理由を探るために、［やったこと］選手が寿司を食べているから強いという仮説を提唱し、その検証を行った。［方法］2014〜2022年の各年に、日本代表の選手1人あたりが寿司を食べた回数を推定し、その年の勝利数との関係を見た。［結果］その結果、寿司をたくさん食べた年ほど勝利数が多いことがわかった。［方法］一方、2022年に、日本代表の選手に、試合前の2週間寿司を絶ってもらうということを7試合に対して行った。［結果］すると、その後の試合での勝利数が減ってしまった。［方法］これに対して、2022年に、スイス代表とパラグアイ代表の選手に、試合前の2週間寿司を食べ続けてもらうということを7試合に対して行った。［結果］その結果、その後の試合での勝利数が増えた。［考察］これ

> ら操作実験の結果は、寿司を食べると強くなることを示している。[結論] 以上のことから、日本代表が強い理由の1つは、選手が寿司を食べているからであると結論した。

　思わず、次のページをめくりたくなる要旨である。結論なしに終わってしまっているからだ。これでは、この卒論の主張（これらの結果を元に何を言いたいのか）がわからない。

　本文のみならず、要旨でも結論が大切である。なぜならば読者は、要旨をさらに要約しようとするからである。つまり、「この卒論は要するにこういうことなのだ」と、卒論の主張を頭の中でまとめようとする。だから、結論を書いていないと、読者は要旨を要約しにくくなってしまう。これでは、卒論の主張の肝心なところが伝わらずに終わってしまうことになる。

# 第4部
# 日本語の文章技術

第4部では、わかりやすいレポート・卒論を書くための文章技術を解説する。わかりにくいレポート・卒論は読者の読む気をそぐ。わかりやすく書く技術を必ず身につけなくてはいけない。

　わかりやすい文章を書くための心構えは、第1部第3章（p.18）ですでに述べた。ここでは、技術的なことに絞って解説する。

　第1章では、わかりやすい文章とはどういうものなのかを説明する。第2，3章では、わかりやすい文章を書くための技術を解説する。この技術は2つに分けることができる。文章全体としてわかりやすくする技術（第2章）と、1つ1つの文をわかりやすくする技術（第3章）だ。レポート・卒論は、両者が揃って初めてわかりやすくなる。この2つの技術を是非とも身につけて欲しい。

# 第1章
# わかりやすい文章とは

本章では、文章を理解するとはどういうことなのか、わかりやすい文章とはどういうものなのかを説明する。この2つを知っておけば、わかりやすい文章を書くコツもつかみやすいと思う。

## 1.1 文章の理解とは

初めに、文章の理解とは何かを説明する。これを知ることは、わかりやすい文章を書く上で重要である。認知心理学の研究成果を拝借して、文章理解のしくみを説明してみよう（認知心理学に関する巻末の参考文献を参照）。

文章の理解とは、

> 自分（読者）が持っている知識を使って、筋の通った解釈を作り上げること

である。大切な点は2つ。「自分が持っている知識」と「筋の通った解釈」である。以下で、それぞれの重要性を説明する。

### 1.1.1 知らないことは理解できない

私たちは、自分が持っていない知識を前提とした説明をされても理解できない。

たとえば、以下の文章を読んでみて欲しい。

> **例64**
> 鯛を一本買ってきて三枚おろしにした。サクに紙塩をし、冷蔵庫でしばらく寝かせた。そして、皮目に霜をふってそぎ造りにした。

1文も短く構造も単純なので、字面的には難しくない文章である。しかし、この文章をすんなり理解できた人は少ないであろう。刺身の作り方に馴染みがないためだ。

### 1.1.2 筋の通らないことは理解できない

そのことに関する知識があるならば何でも理解できるわけでもない。自分の知識に照らし合わせ、筋が通らないことも理解できないのだ。

たとえば、以下の2つの文章を読み比べて欲しい。

> **例65**
> 認知症予防の新たな方法が注目を集めている。犬に触れることで、脳を活性化させる方法である。
>
> **例66**
> 認知症予防の新たな方法が注目を集めている。犬に触れることで、腕の筋肉を強化させる方法である。

例65はすんなりと理解できたであろうが、例66は理解できなかったと思う。しかし両者では、「脳を活性化させる」と「腕の筋肉を強化させる」とが置き換わっているだけである。そしてもちろん、腕の筋肉のことをあなたは知っているはずだ。

ではなぜ、例65は理解できて例66は理解できないのか。例65を読んであなたは、「犬に触れることは良い刺激になりそうだ」「脳の活性化は認知症予防につながる」などと考えたはずである。これにより、筋の通った解釈

をすることができた。一方、大抵の人は、「腕の筋肉を鍛えることが認知症予防につながる」とは思っていない。そのため、「何で腕の筋肉なんだ？」と疑問に思い、例66を理解できずに終わってしまった。

　このように私たちは、新しい情報に接したとき、自分が持っている知識を使って筋の通った解釈をしようとする。それができれば、その情報を理解することができる。しかし、筋の通った解釈ができないと、理解できずに終わってしまうわけである。

## 1.2　わかりやすい文章とは

　それでは、どのような文章がわかりやすいのか。どんな文章ならば、筋の通った解釈をしやすいのか。わかりやすさ――。それは、**読者が情報整理をしやすいこと**である。

　読者は、文を1つ1つ読んで、個々の文で述べられている情報を理解していく。そして一連の文をまとめて、そこに述べられている情報を整理していく。

　ここで重要なことは、こうした情報整理は作業記憶という記憶領域で行われることだ。作業記憶とは、物事を考えたり情報を処理したりする記憶領域である。たとえば、38×9という暗算を行うとしよう。このとき私たちは、「38」「9」という数字を保持しつつ、「8×9」などの処理も同時に行う。これらを行うのが作業記憶である。作業記憶の容量は小さい。情報を保持するだけ（処理はせずに覚えるだけ）に専念したとしても、だいたい7個（単語なら7単語、数字なら7つ）くらいしか一どきには覚えていられない。情報処理を同時に行うと、一どきに保持できる情報量はもっと減ってしまう。そのため私たちは、たくさんの情報を一どきに操って物事を考えることができない。たとえば私の頭では、2桁×1桁の暗算が精一杯で、2桁×2桁の暗算はお手上げである。

　こんな小さな記憶領域を使って、私たちは文章の読解を行うのだ。だから、

> 読者に負担をかけることなく、書き手が意図したとおりに情報整理をしてもらう

ことが大切である。そのためには、論理の道筋が明確で、水路のように明瞭に流れる文章を書かなくてはいけない。

　わかりやすい文章には、1）文章全体として持っている情報を整理しやすいこと、かつ、2）個々の文の持つ情報も整理しやすいことが求められる。続く2つの章で、それぞれの技術を解説したい。

# 第2章
# 文章全体としてわかりやすくする技術

本章では、文章全体としてわかりやすくする技術を解説する。個々の情報をいかに提示していけば、文章全体としての情報を整理しやすくなるのか。私自身の経験から得たことと、巻末の文献（倉沢 1999・藤沢 1999）から学んだことを**要点19**にまとめた。これに従って、わかりやすさのコツを解説していきたい。

---

**要点19**

**文章全体としてわかりやすくする技術**

1. 無駄な情報を削る
2. 1度に1つの話題だけを扱う
    - ◇ 1つの段落では1つの話題だけを扱う
    - ◇ 1つの章では1つの大きな話題だけを扱う
3. 何の話をするのかを前もって知らせる
    - ◇ 見出しを付ける
    - ◇ 段落の書き出しの1文で主題を明示する
    - ◇ 全体像を述べてから細部を述べる
    - ◇ 次に来る文の位置づけを教える
4. 文から文への話題の繋がりを明確にする
    - ◇ 直前の文の要素を次の文の話題とする
    - ◇ 直前の文の要素を受けない場合は、以下の両方またはどちらかを行う

① その文の扱う話題を明示する
　　　② 話題が変わっていることを示す言葉を文頭に書く
　5．重要なことから述べる

## 2.1　無駄な情報を削る

　無駄な情報は情報整理のさまたげにしかならない。たとえば、例65（p.197）の内容をこんな感じで説明されたらどうか。

---

**例67**

　認知症予防の新方法が注目を集めている。犬に触れるのだ。犬とは、足が4本あり、しっぽがあり、全身が毛で覆われており、足裏に肉球がある動物のことである。しかしこれでは猫と区別がつかない。見れば一目でわかるのに、外見を言葉で説明すると区別がつけにくいのが不思議である。もっとも、啼き声の違いは言葉でも説明できる。「わん」と啼くのが犬であり、「にゃあ」と啼くのが猫である。ただし実際のところ、猫に触れても効果はあるのだ。一般に、可愛くて温もりがある動物を撫でると人は癒される。そうすると、脳が活性化され、認知症の予防につながる。もっとも、「可愛い」というのは主観である。「犬が可愛い」という主観は、ほとんどの人が共有していることと思う。それを言うならば、「猫が可愛い」という主観も共有されているはずだ。猫より犬なのは、何か理由があるのだろうか。

---

　相当に混乱する文章であろう。「犬とは」などという説明するまでもないことや、猫との区別などの無駄情報が溢れているからである。認知症予防の方法の説明と、犬を使うか猫を使うかという話が混ざっていることも混乱させる。

　このように、無駄な情報があると、以下の2つが起きてしまう。

　　□　どれが重要な情報なのかという探索に頭を使わされる。

> ☐ 無駄な情報が入ってくるために、重要な情報を覚えていられない。

　1つ目は、容量の小さい作業記憶（1.2節参照；p.198）を余計なことに割いてしまうということである。だから、肝心の情報整理の能率が当然下がる。2つ目は、作業記憶に保持している情報が、後から入ってくる情報に押し出されてしまうということだ。たとえば、「犬に触れるのだ」（例67の1行目）という重要情報を作業記憶に保持しておこうとしたとする。ところがその後に、犬や猫の話が作業記憶に入ってきて、「犬に触れるのだ」という情報を追いやってしまうわけである。

　このように、無駄な情報は有害でしかない。無駄な情報のない文章、逆に言うならば、必要な情報のみからなる文章を書くことを心がけよう。

## 2.2　1度に1つの話題だけを扱う

　情報整理をしやすいレポート・卒論を書くための鉄則は、1度に1つの話題だけを扱うことである。以下で、詳しく説明していこう。

### 2.2.1　1つの段落では1つの話題だけを扱う

　**段落は話題の単位**である。1つの段落では1つの話題だけを扱うことを心がけよう。そういう構造のレポート・卒論ならば、各段落の話題をまとめ、それを統合して全体としての主張をまとめるという作業を読者は行いやすいのだ。けっして、1つの段落で複数の話題を扱ってはいけない。まして、「そろそろ改行しようか」などという感じで段落を変えてはいけない。

　1つの段落に複数の話題が混ざっていたらどうなるか。例で見てみよう。

> 例68
>
> 　認知症予防の新方法が注目を集めている。犬に触れるのだ。犬を撫でると心が癒される。そうすると、脳が活性化され、認知症の予防につながるわけである。ではなぜ犬なのか。たとえば猫だって、撫でると癒されるように思う。「癒し」が大切ならば猫でもよいではないか。犬と猫とでどちらが癒しの効果があるのかを調べた実験がある。実験に先立って、被験者に記憶力テストをしてもらった。そして被験者を、テストの成績の平均が同じになるようにして、犬グループと猫グループとに分けた。犬グループには、１日あたり１時間犬に触れさせた。猫グループには、１日あたり１時間猫に触れさせた。１ヶ月経過してから、記憶力テストを再度行った。その結果、犬グループの方が、猫グループよりも成績の向上率が良かった。たしかに、犬の方が猫よりも効果があったわけである。なぜ、犬に触れる方が効果があるのか。その理由を専門家に聞いてみた。「犬の方が身体が大きいので撫でる面積が大きい。そのため、より癒されるのではないか」とのことであった。「では、キリンを撫でるともっと効果があるのでは」と訊ねると、「天井につかえる」と冷たかった。
>
> 　　　　　　　　　　（注；この話はまったく架空のものである）

この文章、気づくと話が変わっている。そのため、個々の話題について頭の中で整理をしにくいであろう。

　では、これならばどうか。

> 例68の改善案
>
> 　認知症予防の新方法が注目を集めている。犬に触れるのだ。犬を撫でると心が癒される。そうすると、脳が活性化され、認知症の予防につながるわけである。
> 　ではなぜ犬なのか。たとえば猫だって、撫でると癒されるように思う。「癒し」が大切ならば猫でもよいではないか。
> 　犬と猫とでどちらが癒しの効果があるのかを調べた実験がある。実験に先立って、被験者に記憶力テストをしてもらった。そして被験者を、テストの成績の平均が同じになるようにして、犬グループと猫グループとに分けた。犬グループには、１日あたり１時間犬に触れさせた。猫グループには、１

> 日あたり1時間猫に触れさせた。1ヶ月経過してから、記憶力テストを再度行った。その結果、犬グループの方が、猫グループよりも成績の向上率が良かった。たしかに、犬の方が猫よりも効果があったわけである。
> 　なぜ、犬に触れる方が効果があるのか。その理由を専門家に聞いてみた。「犬の方が身体が大きいので撫でる面積が大きい。そのため、より癒されるのではないか」とのことであった。「では、キリンを撫でるともっと効果があるのでは」と訊ねると、「天井につかえる」と冷たかった。

　例68を段落分けしただけである。しかしそれだけで、ぐっとわかりやすくなったであろう。1つの段落で1つの話題だけを書くことにより、話題の区切りが明確になったためである。

　文章を書いたら、1つの段落に複数の話題が混在していないか、あるいは逆に、1つの話題が複数の段落にまたがっていないか確認して欲しい。もしそういう段落が見つかったら、1つの段落に1つの話題となるように修正しよう。

### 2.2.2　1つの章では1つの大きな話題だけを扱う

　段落と同様のことが、章などのより上位のレベルにも当てはまる。そのレポート・卒論の話題の構造に合わせて章立てをしよう（第3部1.3節参照；p.43）。そして、1つの章では1つの大きな話題だけを扱う。1つの章に複数の大話題を混在させない。このようにすれば、各章で書いてあることを読者が理解しやすくなる。

## 2.3　何の話をするのかを前もって知らせる

　まずはちょっとした実験をしてみよう。何に関する文章なのかを知らずに読むとどうなるか。なお、文中の「あん」は我が家の愛犬である。

第 2 章　文章全体としてわかりやすくする技術

> **例69**
> 　窓越しに車内を見回しても姿が見えない。慌ててドアを開け車内に入り、座席の下とかを覗き込んだ。しかしどこにもいない。ドアにはロックがしてあり窓も閉まっていた。あんが自分で外に出るはずもない。……密室の失踪。やがてはっと気づき、車外へ出て車の後部へ行き、ハッチバックのドア越しに中を覗き込んだ。トランクの中で嬉しそうにしっぽを振っているあんがいた。あんは、後部座席の後ろ——トランクを仕切る板敷きの上——に乗って帰りを待つのが好きなのだ。板敷きがはずれていてトランクの中に落ちてしまったらしい。こうして、あん密室失踪事件は無事に解決したのであった。

　難しいことは書いていないのに、読みながらいらいらしたであろう。何に関しての文章なのかという探索に頭を使ってしまったためである。読み進めるうちにようやく状況がわかってきて、いらいらが減ったのではないか。「あんを車内に残し買い物をしたら、あんがいなくなっていたお話」と前もってわかっていれば、いらいらを感じなかったはずだ。

　何についての話なのかが前もってわかれば、読者は、情報受け入れの準備をすることができる。これから伝える情報のことを前もって知らせることを常に心がけて欲しいと思う。

　本節では、文章の内容を前もって知らせるためのコツを紹介する。

### 2.3.1　見出しをつける

　適切な章立てをして、章や節の内容を表す見出しをつけよう（第 3 部 1.3 節参照；p.43）。たとえば、例 6 （p.43）のように見出しをつける。そうすれば読者は、そこに書かれていることを前もって知ることができる。読者が、自分にとって必要な情報を素早く探すことができるという利点もある。たとえば、寿司を食べた回数とその年の勝利数の相関関係を知りたい読者は、それに対応する見出しのところを探して読めばよいわけである。

## 2.3.2 段落の書き出しの1文で主題を明示する

　書き出しの1文ではその段落の主題を明示するべきである。主題とは、その段落で扱う話題またはその話題に対しての結論のことである。書き出しの1文に主題が明示されていれば、読者は、その段落の内容を素早く知り、受け入れの準備をすることができる。

　書き出しの1文で主題が明示されていないとどう感じるか。西洋の漫画について論じた例を見てみよう。

---

**例70**

［論の展開］西洋の漫画の代表といえる、社会風刺の一コマ漫画を題材に考えてみる。この漫画は、政治・社会・経済などの時事ネタを、たった一コマの中で風刺している。しかも、物事の本質を突いた知的なものになっている。一コマなのだからむろん、話の展開というものはない。物語の面白さで惹きつけるのではなく、知性で惹きつけるのである。［結論］このように西洋の漫画には、知的ユーモアを重視するという特徴がある。

（東北大学レポートを元に創作）

---

最後の文で結論を明確に述べており、そう結論する理由もしっかり説明している文章である。しかし、読んでいていらいらしたと思う。何のために「考えてみる」（例70の1～2行目）のかわからないためだ。主題の明示なしに論を進められては、読者は、情報受け入れの準備をすることができないのだ。

　主題の明示の仕方は2通りある。

---

**構成1**　第1文：話題を明示
　　　　続く文：論を展開
　　　　最後の文：結論を述べる

**構成2** 第1文：結論を述べてしまう
　　　　続く文：論を展開

　構成1と2のそれぞれを用いて、例70を改善してみる。

---

例70の改善案；構成1　第1文で話題を明示
［薄字：削除した文　太字：書き加えた文］
　**［話題の明示］西洋の漫画の特徴は何か。［論の展開］その**西洋の漫画の代表といえる、社会風刺の一コマ漫画を題材に考えてみる。この漫画は、政治・社会・経済などの時事ネタを、たった一コマの中で風刺している。しかも、物事の本質を突いた知的なものになっている。一コマなのだからむろん、話の展開というものはない。物語の面白さで惹きつけるのではなく、知性で惹きつけるのである。［結論］このように西洋の漫画には、知的ユーモアを重視するという特徴がある。

例70の改善案；構成2　第1文で結論を述べてしまう
［薄字：削除した文　太字：書き加えた文］
　**［結論］西洋の漫画には、知的ユーモアを重視するという特徴がある。［論の展開］その代表例が、社会風刺の一コマ漫画である。**西洋の漫画の代表といえる、社会風刺の一コマ漫画を題材に考えてみる。この漫画は、政治・社会・経済などの時事ネタを、たった一コマの中で風刺している。しかも、物事の本質を突いた知的なものになっている。一コマなのだからむろん、話の展開というものはない。物語の面白さで惹きつけるのではなく、知性で惹きつけるのである。［結論］このように西洋の漫画には、知的ユーモアを重視するという特徴がある。

---

　どちらも、すんなりと理解できたであろう。
　結論を素早く伝えることが目的であって、論の展開（なぜ、そういう結論になるのか）はそれほどには重要ではない文章では、構成2の方が良いであろう。書き出しの1文に重点をおいて読んでいけば、書き手が言いた

いことが効率良く理解できるからだ。しかしレポート・卒論では、結論も大切ならば、論の展開もまた大切である。読者が結論を受け入れるかどうかは、論の展開の説得力にかかっているためである。だから読者は、論の展開もきちっと読む。となると、構成1と2のどちらが良いということにはならない。文脈の中で書きやすい方を採用すればよいと思う。

　**書き出しの1文に魂を込める。**——レポート・卒論を書くときに私が常に心がけていることである。

### 2.3.3　全体像を述べてから細部を述べる

　これから始まる話の全体像を前もって述べることも効果的だ。そうすれば読者は、要はどういうことなのかを頭に入れて読み進めることができる。
　例で見てみよう。まずは悪い例からだ。

---

**例71**

　［話題の明示］紙塩について説明しよう。［説明］まず、紙を濡らして固く絞る。そして魚の身を包み、その上から薄く塩をふりかける。そうすると、浸透圧により身の水気が抜ける。身が引き締まると味も良くなる。身に直接ではなく紙に包んで塩を振るのは、紙に塩が溶け込み、塩分が全体に行き渡りやすくなるためである。

---

　この例では、「紙塩について説明しよう」と、話題を明確に述べている。しかし、かなりわかりにくい文章であろう。紙塩の概要の説明なしに、詳細だけを説明しているからだ。
　これを改善してみる。

---

**例71の改善案**

　［太字：書き加えた文］
　　［話題の明示］紙塩について説明しよう。［**全体像の説明**］**これは、魚の身を紙で包んで塩を振り、身の水気を抜く手法である。**［細部の説明］そのために

> はまず、紙を濡らして固く絞る。そして魚の身を包み、その上から薄く塩をふりかける。そうすると、浸透圧により身の水気が抜ける。身が引き締まると味も良くなる。身に直接ではなく紙に包んで塩を振るのは、紙に塩が溶け込み、塩分が全体に行き渡りやすくなるためである。

改善案では、話題の明示に続いて全体像を説明している。そのおかげで、紙塩の説明が理解しやすくなっているであろう。

### 2.3.4 次に来る文の位置づけを教える

接続詞を適宜使うなどして、次に来る文の位置づけを前もって教えることも大切である。前の文を受けて論を発展させる文が来るのか、逆に、論を転換させる文が来るのか。あるいは結論の文が来るのか。こういったことが前もってわかると、読者は、次に来る情報の整理がしやすくなる。

たとえば、以下の文章を読んでみて欲しい。なお、文中に出てくる「構成1」「構成2」は、p.206〜207の「構成1」「構成2」のことである。

> **例72**
> 　結論を素早く伝えることが目的であって、論の展開（なぜ、そういう結論になるのか）はそれほどには重要ではない文章では、構成2の方が良いであろう。書き出しの1文に重点をおいて読んでいけば、書き手が言いたいことが効率良く理解できるからだ。レポート・卒論では、結論も大切ならば、論の展開もまた大切である。読者が結論を受け入れるかどうかは、論の展開の説得力にかかっているためである。読者は、論の展開もきちっと読む。構成1と2のどちらが良いということにはならない。

これは、p.207の下から3行目〜p.208の上から5行目の文章から、「しかし」「だから」「となると」の3つだけを除いたものである。それだけなのに、何ともわかりにくい文章になってしまったと思う。次に来る文の位置づけがわからないので、文章の論理構造の分析に頭を使わされてしまうか

らである。

　文章の特徴は、文が1つずつ順番に並んでいることである。だから、ある文を読んでいるときには、次にどういう文が来るのかを読者は知らない。かといって「知らないまま」にしておいては、読者は、次に来た文をどういうふうに整理すればよいのか戸惑ってしまう。そのため、文章の論理を理解することができなくなる。

　次に来る文の位置づけを前もって教えること。たとえば原文では、「しかし」（p.208の上から1行目）と書くことで、反対のことを述べると教えている。「だから」（p.208の上から3行目）と書いて、帰結を述べると教えている。このように、次に来ることを教えておけば、読者の情報整理の効率は格段と良くなるのである。

## 2.4　文から文への話題の繋がりを明確にする

　文というものは必ず、何らかの話題の下に何らかのことを述べている（ただし、話題が明示されないこともある）。たとえば、直前に私が書いた文「文というものは必ず、……」は、「文とは」という話題の下に、「何らかの話題の下に何らかのことを述べている」と説明している。

　文と文とを自然に繋げるためには、話題をうまく繋げることである。本節では、話題の繋げ方について説明する。

　話題の繋げ方は3つある。例71の改善案（p.208）の文章を例に説明しよう。なお下記では、［］内でその文の話題を示している。

---

１．直前の文の要素（二重下線部）を受けて、新たな話題を展開する
［紙塩とは何か］これは、魚の身を紙で包んで塩を振り、身の水気を抜く手法である。［身の水気を抜く手法］そのためにはまず、紙を濡らして固く絞る。

２．直前の文と同じ話題について述べる
［身の水気を抜く手法］そのためにはまず、紙を濡らして固く絞る。そして魚

の身を包み、その上から薄く塩をふりかける。

### 3．直前の文の要素を受けずに、新たな話題を展開する
［紙塩の効果］身が引き締まると味も良くなる。［紙に包む理由］身に直接ではなく紙に包んで塩を振るのは、紙に塩が溶け込み、塩分が全体に行き渡りやすくなるためである。

　すべての文は、上記１〜３のどれかを行っている。その文がどれを行っているのかを意識して文章を書くようにしよう。
　３を行う場合は注意が必要である。文と文との繋がりが切れてしまう可能性があるからだ。そうならないようにするためには、以下の２つのどちらかまたは両方を行うことである。

|1| その文で扱う話題を明示する
|2| 話題が変わっていることを示す言葉を文頭に書く

　上記の例では、「身に直接ではなく紙に包んで塩を振るのは」と、その文で扱う話題を明示している。このおかげで、「紙に包む理由」に話題が変わったことを理解できる。
　|2|の、話が変わったことを示す言葉とは、「一方」「これに対して」「かたや」などである。たとえば以下のように使う。

［紙に包む理由］身に直接ではなく紙に包んで塩を振るのは、紙に塩が溶け込み、塩分が全体に行き渡りやすくなるためである。［紙に包むことの問題点］一方、塩加減が難しくなるという問題点もある。

この例では、「一方」とおいて、話題が変わっていることを示している。同様に、

> ○○は3つある。1つ目は、……。2つ目は、……。3つ目は、……。

の「1つ目は」「2つ目は」「3つ目は」も、話題が変わっていることを示す言葉である。

## 2.5　重要なことから述べる

　複数のことを並べて述べるとき、どういう順番で述べると読者はわかりやすいであろうか。

　たとえば、日本代表が強い要因は、1）監督・選手の質がそもそも高いこと、2）国民の応援がすごいこと、3）選手が寿司を食べていることの順番で重要であることがわかったとする。この結果をどのように並べて書くとわかりやすいのか。

> 【重要なものから述べる】
> ・1番目に重要なのは、監督・選手の質がそもそも高いことである。
> ・2番目に重要なのは、国民の応援がすごいことである。
> ・3番目に重要なのは、選手が寿司を食べていることである。
>
> 【重要でないものから述べる】
> ・3番目に重要なのは、選手が寿司を食べていることである。
> ・2番目に重要なのは、国民の応援がすごいことである。
> ・1番目に重要なのは、監督・選手の質がそもそも高いことである。

多くの人は、重要なものから並べたものをわかりやすいと感じたと思う。
　このように、レポート・卒論では、重要なものから順番に述べるべきだ。なぜならば、読者が探しているのは重要な情報だからである。そして、重要な情報ほど深く頭に刻み込みたいと思っている。そんな読者に、重要なものを後にとっておくようなことをしてはいけない。先に入ってくる情報

ほど印象深く受け止めやすいのだから、重要な情報が先である。

# 第3章
# １つ１つの文を わかりやすくする技術

本章では、日本語の１つ１つの文をわかりやすくする技術を解説する。これは、文章全体としてわかりやすくする技術（第２章；p.200）とはまったく異なる。１つ１つの文の意味が不明確では、文章全体として言いたいことが伝わるはずもない。１つ１つの文をわかりやすく書く技術もきちっと習得すべきである。本章では、文がわかりにくい原因（**要点20**）にふれつつ、わかりやすい文にする技術（**要点21, 22**）を解説する。

　１つ１つの文をわかりやすくするための技術書に、『日本語の作文技術』（本多勝一著）という名著がある（文章全体としてのわかりやすさの技術も扱っている本である）。本章の3.2〜3.5節は、この名著の作文技術の解説が主な内容である。しかし、次に述べるように私の独自色も出している。第１に、本多の作文技術を少なからず改変している（**要点21**とその脚注参照）。第２に、文がわかりにくい理由・わかりやすい理由の解説のかなりの部分も、私独自のものである。だから、『日本語の作文技術』を読んだ方も、本章をどうか読んでいただきたい。

### 要点20
#### 文がわかりにくい原因
1. １つの文に多くの情報が詰め込まれている
2. 情報を与える順番がおかしい
3. どの語がどの語を修飾するのかが不明確である

◇ ある語が修飾している語を見つけにくい
◇ １つの語が複数の語を修飾してしまう
4．言葉のまとまりを捉えにくい

### 要点21

#### １つ１つの文をわかりやすくする技術

1．１つの文で１つのことだけを言う
   ◇ 無駄な情報を削る
   ◇ 複数の情報を次々とつなげない
   ◇ 情報をついでに付け加えない
2．語順：重要な要素を先にする
   ◇ その文で扱う話題を先にする
   ◇ 扱う話題を読者がわかっている場合は、その話題の下での主張を先にする
3．語と語との修飾関係を明確にする
   ◇ ある語が修飾している語を見つけやすくする
      ① 長い修飾語を先に、短い修飾語を後に
      ② 短い修飾語を先にするとき、その後ろにテンをうつ
      ③ 長い修飾語の後に長めに文が続くとき、その長い修飾語の後ろにテンをうつ
   ◇ １つの語が１つの語だけを修飾するようにする
      ④ 意図せぬ修飾関係を生まないように配置する
      ⑤ 修飾関係を断ち切りたいとき、そこにテンをうつ
4．漢字とカナを混ぜて、言葉のまとまりを捉えやすくする

※わかりやすい文にする手順については**要点22**を参照のこと。

注；『日本語の作文技術』では語順の原則として、「１．節を先に、句をあとに」「２．長い修飾語は先に、短いほどあとに」「３．大状況・重要内容ほど先に」「４．親和度（なじみ）の強弱による配置転換」の４つがあげら

れている。このうちの2と3はそれぞれ、**要点21**の3-①と2に相当する。『日本語の作文技術』の1と4は3-④に相当する。

『日本語の作文技術』におけるテンのうち方の原則は、「長い修飾語が1つ以上あるとき、その境界にテンをうつ」「原則的語順が逆順の場合にテンをうつ」の2つである。これらはそれぞれ、**要点21**の3-③と3-②に相当する。3-⑤は、『日本語の作文技術』では原則となっていない。

**要点22**

**わかりやすい文にする手順**

1. 情報を絞って、1文に1情報にする
2. 重要な要素を先にする
3. 修飾関係が不明確になっていたら、以下のどちらかを行う
    ◇ 語順の原則を損なわない範囲で語順を替える
    ◇ テンをうつ
4. 言葉のまとまりを捉えにくい部分があったら、漢字とカナの混ぜ方を工夫する

## 3.1　1つの文で1つのことだけを言う

わかりやすい文にするための第1の原則は、1つの文で1つのことだけを言うことである。「1文に1情報」ということだ。

本節では、1文に1情報を守るべき理由を説明する。ついで、1文に1情報にするためのコツを紹介する。

### 3.1.1　1文に1情報を守るべき理由

1つの文に多くの情報が詰め込まれている文はわかりにくい。たとえば、以下の2つを読み比べて欲しい。

> **例73**
> 日本代表にとって、今日は絶対に負けられない試合なので気合いを入れて応援に来たスタジアムの外に鮎の塩焼きの屋台があり、炭火の前で店員が、香ばしく焼き上がった鮎を食べていたのだけれど、炭火の周りの生焼けの鮎を指しながら、「これらは、あと50分ほどかかります」とのことで、客に出すべき鮎を食べながら言うことかと思った。
>
> **例74**
> 日本代表にとって、今日は絶対に負けられない試合なので気合いを入れて応援に来た。スタジアムの外に鮎の塩焼きの屋台があり、炭火の前で店員が、香ばしく焼き上がった鮎を食べていた。そして、炭火の周りの生焼けの鮎を指しながら、「これらは、あと50分ほどかかります」とのことであった。客に出すべき鮎を食べながら言うことかと思った。

両者が伝えている情報は同じである。しかし、例73はわかりにくく、例74はわかりやすいであろう。前者では、複数の情報を1つの文に入れてしまっているからである。

　複数の情報を持つ文がわかりにくいのは、文が読解の単位であるためである。つまり読者は、文を最後まで読んで、情報の入力に1区切りをつける。そして、その情報を処理して頭に入れる。もしも、1つの文が長々と続いて情報が次々と入ってくると、1度に処理しなくてはいけない情報量が多くなってしまう。そうなると、その情報を処理することが大変になってしまうのである。

　情報分割の基本は、1つの文では1つのこと（情報）だけを言うことである。情報整理の制約となるのは、1度に処理できる情報量が少ないことだ。少しずつ入ってくる情報ならば、読者はきちっと整理することができる。だから、1つの情報を述べたいのならば1つの文に、3つの情報を述べたいのならば3つの文に分ける。1文に1情報が守られていれば、たくさんの情報も整理することができるのである。

　ただし、1文に1情報はあくまでも原則である。短い情報ならば、1つの文に2つの情報があっても構わない。要は、1文に入れる情報の総量を

抑えればよいのだ。

### 3.1.2　1文に1情報にするコツ

1文に1情報にするコツを**要点21 - 1**（p.215）にまとめた。本項では、それぞれについて説明する。なお、実際に文を書くときには、以下の手順で推敲していくとよい。

---

❶　文を書いてみる。
❷　無駄な情報がないか検討する。無駄なものを見つけたら削る。
❸　複数の情報がつながっていないか、ついでに付け加えたような情報がないか検討する。これらがあったらとりあえず、1文に1情報になるように文を分割してみる。
❹　分割した文を元に、新たな文章を作り上げる。短い情報のものならば、1文に2情報の文が混じっていてもよい。

---

**無駄な情報を削る**

文が長くなってしまったとき、まず初めにすべきことは、無駄な情報がないかどうかを検討することである（2.1節も参照：p.201）。無駄な情報を削り、本当に必要な情報だけに絞ろう。

例を見てみる。

---

**例75**
言論統制の問題をレポートのテーマに取り上げたのは、「英語原書講読」という授業で言論統制について英語の文章ではあるが学び、言論統制が国の行く末を危うくするという危機感を抱いたからである。

（東北大レポートを元に創作）

---

大切なことは、言論統制をテーマに選んだ理由である。興味を抱いたきっかけ（下線部）を述べる必要などない。

> **例75の改善案**
> 言論統制の問題をレポートのテーマに取り上げたのは、言論統制が国の行く末を危うくするという危機感を抱いたからである。

こうするだけでも文はすっきりする。別の例も見てみよう。

> **例76**
> <u>少年が非行に走るのは、幼少期に親の愛情を受けなかったことなどが理由であるが、</u>なぜ、少年犯罪が凶悪化の一途を辿っているのであろうか。
> （東北大レポートを元に創作）

下線部の情報が無駄なものなのかどうかは文脈による。無駄ならば削ってしまえばよい。必要ならば、2文に分けるべきである。

> **例76の改善例**　2文に分ける場合
> 少年が非行に走るのは、幼少期に親の愛情を受けなかったことなどが理由である。ではなぜ、少年犯罪が凶悪化の一途を辿っているのであろうか。

### 複数の情報を次々とつなげない

　もっともやりがちなのが、複数の情報を次々とつなげてしまうことである。本項の冒頭で挙げた例73（p.217）がその典型だ。
　他の例も見てみよう。

> **例77**
> 食品の添加物の表示欄には、よく知らない化学物質名が並んでいることが多く、有害な物質ではないと思うけれど、知らない物に対する不安は拭えない

のので、その正体を調べてみることにした。

(東北大レポートを元に創作)

情報の波を超えたと思ったら、また次の波がやって来るような文である。こうした文を書いてしまうのは、情報をどう区切るとわかりやすくなるのかを意識していないためである。まずは、1文に1情報に分割してしまおう。

・食品の添加物の表示欄には、よく知らない化学物質名が並んでいることが多い。
・有害な物質ではないと思う。
・知らない物に対する不安は拭えない。
・その正体を調べてみることにした。

このようにこのまま4つの文に分けてしまうのもよい。しかしそれよりも、以下のように3つの文に分ける方が読みやすいであろう（短い文があまりに続くと、かえってリズムが悪くなる）。

例77の改善案
食品の添加物の表示欄には、よく知らない化学物質名が並んでいることが多い。有害な物質ではないと思うけれど、知らない物に対する不安は拭えない。そこで、その正体を調べてみることにした。

もう1つ、例を見てみよう。

例78
【伊達騒動についての記述。仙台藩の家老である原田甲斐が、幕府大老の邸宅で刃傷事件を起こしたことへの幕府の対応を説明している。】
大老の邸宅での刃傷事件は、仙台藩取り潰しに値するほどの罪であったが、

第3章　1つ1つの文をわかりやすくする技術

> 幕府は、不始末の責任は藩主の後見人にあるとし、後見人の伊達兵部と田村右京をそれぞれ流罪と閉門に処し、原田甲斐の遺族を厳しく罰したのみで、仙台藩を取り潰すことはしなかった。
>
> （東北大レポートを元に創作）

これも、1文に1情報にしてみる。

> ・大老の邸宅での刃傷事件は、仙台藩取り潰しに値するほどの罪であった。
> ・幕府は、不始末の責任は藩主の後見人にあるとした。
> ・後見人の伊達兵部と田村右京をそれぞれ流罪と閉門に処した。
> ・原田甲斐の遺族を厳しく罰した。
> ・仙台藩を取り潰すことはしなかった。

そして、適度な情報量の文に組み立てる。むろん、情報を提示する順番を入れ替えてもよい。

> 例78の改善案
> 大老の邸宅での刃傷事件は、仙台藩取り潰しに値するほどの罪であった。しかし幕府は、仙台藩を取り潰すことはしなかった。不始末の責任は藩主の後見人にあるとし、後見人の伊達兵部と田村右京をそれぞれ流罪と閉門に処した。そして、原田甲斐の遺族を厳しく罰したのみであった。

## 情報をついでに付け加えない

　情報をついでに付け加えてしまうこともやりがちである。独立の文として説明するのが面倒な情報を、他の文に紛れ込ませてしまうのだ。
　たとえば、以下の2つの情報を伝えたいとする。

> ・クーリングオフとは、一定期間内ならば購買契約を解除できる制度のことである。

・クーリングオフは、消費者を守るために導入された。

この1つを一遍に書いてしまおうとして、こんな文にしてしまう。

#### 例79
一定期間内ならば購買契約を解除できるクーリングオフが、消費者を守るために導入された。

（東北大レポートを元に創作）

「クーリングオフが導入された」という趣旨の文に、クーリングオフの説明を付け加えてしまうのだ。しかしこれでは、クーリングオフの説明が軽くなってしまう。1つ1つの情報を読者にしっかりと受け止めてもらうためには、文をきちっと分けるべきである。

#### 例79の改善案
クーリングオフが、消費者を守るために導入された。これは、一定期間内ならば購買契約を解除できる制度である。

クーリングオフとは、一定期間内ならば購買契約を解除できる制度のことである。この制度は、消費者を守るために導入された。

他の例も見てみよう。

#### 例80
化学反応を起こさない安定で便利な物質であるフロンは、クーラーの冷媒やスプレーの噴霧剤などに広く利用されてきた。

（東北大レポートを元に創作）

「フロンが広く利用されてきた」という趣旨の文に、フロンの説明を付け加えてしまっている。これも、以下のように2つの文にする方がよい。

> **例80の改善案**
> フロンは、化学反応を起こさない安定で便利な物質である。そのため、クーラーの冷媒やスプレーの噴霧剤などに広く利用されてきた。

ただし、非常に軽い情報の場合は、「ついでに付け加える」形になってもかまわない。たとえば例78（p.220）の【】内の説明文には、「仙台藩の家老である原田甲斐が」とある。「仙台藩の家老である」という説明が付け加わった形であるが、この説明はさして重要なことではない。だから、わざわざ別文にするまでもないであろう。

## 3.2　語順：重要な要素を先にする

1文の情報量が適正になったら、次に考えるべきは、情報を構成する個々の要素を与える順番についてである（**要点21－2**；p.215）。文は、いくつかの語からなり、それぞれが情報の個別要素である。どういう順番で個別要素を与えるとわかりやすいのか。本節ではこのことを考えていく。なお、本節の内容は、『日本語の作文技術』の「大状況・重要内容ほど先に」に相当する。

### 3.2.1　通常は、その文で扱う話題を先にする

語順の第1の原則は、その文で扱う話題を先に示すことである。そして、何についての文なのかをわかってもらう。話題が先に頭に入ってこないと、何の話なのかと読者は戸惑ってしまうのだ。

例で見てみよう。ある1つの文で以下のことを伝えたいとする。

> 話題：序論で大切なこと。
> 話題の下での主張：「どうしてやるのか」の説得である。

通常の文脈では、「序論では」を先にして、これから「序論について論じる」と伝えるべきである。

> **例81**
> ○ 序論では、「どうしてやるのか」の説得が大切である。
> × 「どうしてやるのか」の説得が序論では大切である。

2つ目の語順では、「『どうしてやるのか』の説得」が何についての話であるのか戸惑ってしまう。

### 3.2.2 扱う話題を読者がわかっている場合は、その話題の下での主張を先にする

　一方、文脈から、その文で扱う話題を読者がすでにわかっている場合もある。その場合は、その話題の下での主張を先に出す方がよい。
　例を見てみよう。

> **例82**
> ○ 序論をうまく書けない理由のほとんどは、序論で大切なことがわかっていないことにある。「どうしてやるのか」の説得が序論では大切である。
>
> × 序論をうまく書けない理由のほとんどは、序論で大切なことがわかっていないことにある。序論では、「どうしてやるのか」の説得が大切である。

この例では、「序論で大切なこと」が話題となることを1文目で伝えてし

まっている。そのため2文目では、「『どうしてやるのか』の説得」という主張を先に述べる方が流れが良くなる。

## 3.3 語と語との修飾関係：わかりにくい原因

「重要な要素を先に」の原則で語順の原案は決まる。しかしこれで終わりではない。次に、最もややこしい問題が待ちかまえている。語と語との修飾関係を明確にすることだ。そのためには、「重要な要素を先に」の原則を損なわない範囲で語順を入れ替えることや、テンをうって誤解をなくすことが必要になる。

本節では、こうした技術の説明に先立って、どういう修飾関係ならばわかりやすく、どういう修飾関係だとわかりにくいのかを説明する。わかりにくさの原因を知ることは、修飾関係が明確な文を書く上で大切なのだ。なお、本節の内容は、『日本語の作文技術』の、「修飾の順序」と「句読点のうちかた」に基づいている。

### 3.3.1 わかりやすい修飾関係とわかりにくい修飾関係

修飾関係がわかりにくい原因は以下のどちらかである。

> ☐ ある語が修飾している語を見つけにくい
> ☐ 1つの語が複数の語を修飾してしまう

一方、それぞれの語が1つの語を修飾しているのならわかりやすい。つまりこういうことだ（灰色の矢印はわかりにくい修飾関係を示す）。

```
┌─────────────────────────────────────────────────────┐
│ 【わかりやすい修飾関係】それぞれの語が1つの語を修飾している │
│   修飾語 ───────┐                                    │
│                 ▶ 被修飾語                           │
│   修飾語 ───────┘                                    │
│                                                      │
│ 【わかりにくい修飾関係】ある語が修飾している語を見つけにくい │
│   修飾語 ····?···┐                                   │
│                  ▶ 被修飾語                          │
│   修飾語 ────────┘                                   │
│                                                      │
│ 【わかりにくい修飾関係】 1つの語が複数の語を修飾してしまう │
│   修飾語 ····?····┐                                  │
│     ?             ▶ 被修飾語                         │
│   修飾語 ─────────┘                                  │
└─────────────────────────────────────────────────────┘
```

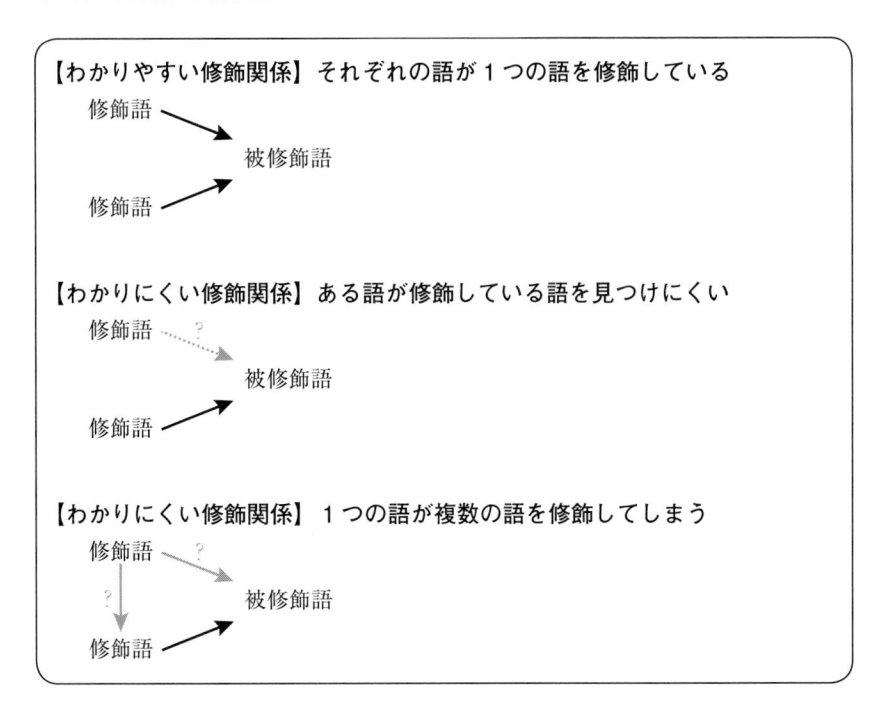

次項以降で、それぞれについて具体例を用いて説明する。

## 3.3.2　わかりやすい修飾関係：それぞれの語が1つの語を修飾している

まずは、わかりやすい修飾関係を説明する。

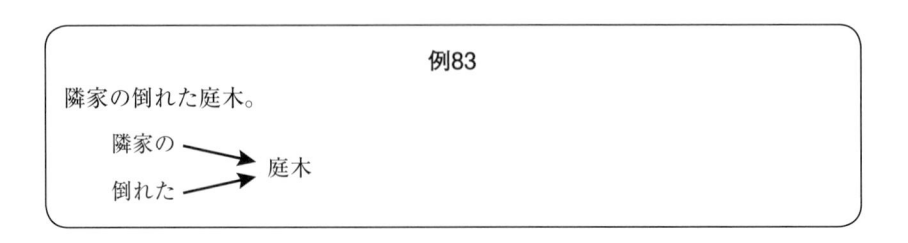

```
┌─────────────────── 例83 ───────────────────┐
│ 隣家の倒れた庭木。                          │
│    隣家の ────┐                             │
│               ▶ 庭木                        │
│    倒れた ────┘                             │
└─────────────────────────────────────────────┘
```

「隣家の」「倒れた」が「庭木」に係っている。つまり、庭木が倒れており、それは隣家の庭木である。誤解しようのない明確な文である。同様に、

> **例84**
> 友達にR子がうどんをおごった。
>
> 友達に ──────┐
> R子が ──────→ おごった
> うどんを ────┘

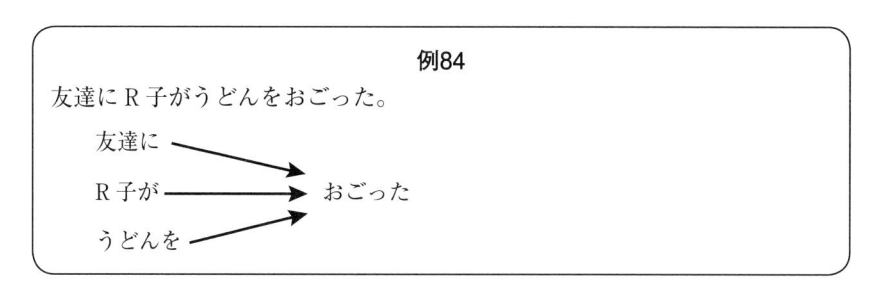

「友達に」「R子が」「うどんを」が「おごった」に係っている。これも誤解のない文である。

### 3.3.3 わかりにくい修飾関係：ある語が修飾している語を見つけにくい

次は、ある語が修飾している語を見つけにくい例である。短い修飾語が長い修飾語の前にあると、短い修飾語が係っている語を見つけにくくなってしまう。

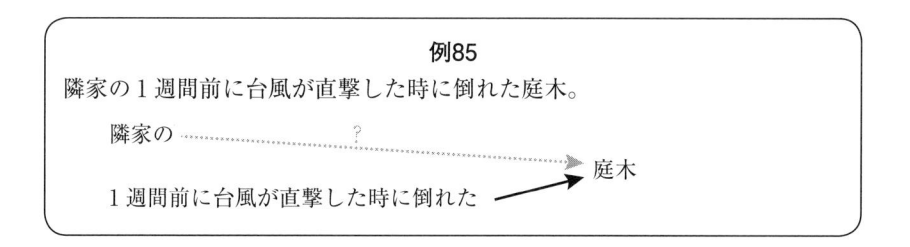

> **例85**
> 隣家の1週間前に台風が直撃した時に倒れた庭木。
>
> 隣家の ┈┈┈┈┈┈┈┈？┈┈┈┈┈┈┈┈→ 庭木
> 1週間前に台風が直撃した時に倒れた ──→

「隣家の」が「庭木」に係っていることがわかりにくいであろう。もう1例見てみよう。

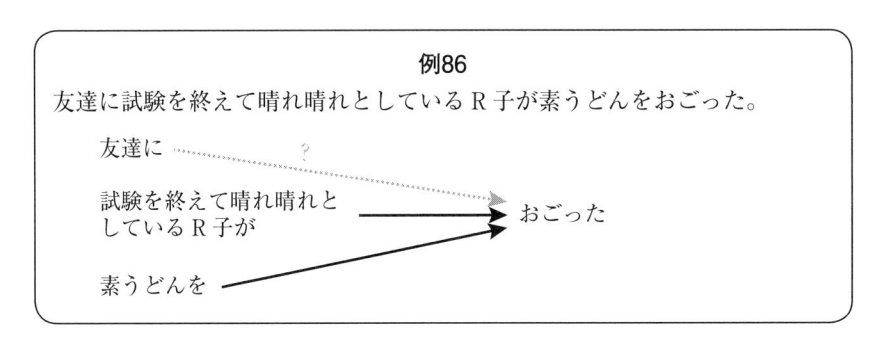

```
                            例86
   友達に試験を終えて晴れ晴れとしているR子が素うどんをおごった。
       友達に ........................?
                                    ↘
       試験を終えて晴れ晴れと      ─────▶ おごった
       しているR子が
       素うどんを ─────────────────────▶
```

　この例では、「友達に」が「おごった」に係っているという修飾関係を見つけにくい。

　なぜ、短い修飾語が先にあると修飾関係を見つけにくいのか。それは、短い修飾語を、それに続く長い修飾語の一部と捉えてしまうためである。以下で詳しく説明しよう。

　文を読むときに読者は、どこか文の途中で咀嚼の区切りをつける。区切りのところまでを1つのまとまりとして捉えるわけだ。たとえば、「1週間前に台風が直撃した時に倒れた庭木」という文を読者は、以下のように区切って読むはずだ。なお以降では、区切りの位置を | で示している。

```
1週間前に台風が直撃した時に | 倒れた庭木。
```

他のところでも小さな区切りを入れるかもしれないが、上記の所での区切りが一番大きいであろう。

　では、短い修飾語が長い修飾語の前にあるとどうなるか。そうすると、以下のように区切ってしまうのだ。

```
例85を読むときの区切りの位置
隣家の1週間前に台風が直撃した時に | 倒れた庭木。
```

例86を読むときの区切りの位置
友達に試験を終えて晴れ晴れとしているR子が│素うどんをおごった。

人によっては、他のところでも小さな区切りを入れるかもしれない。あるいは、上記のところではなく他のところで大きな区切りを入れるかもしれない。しかし、「隣家の」「友達に」の直後に一番大きな区切りを入れる人は少ないと思う。これはつまり、

「隣家の1週間前に台風が直撃した時に」
（人によっては、「隣家の1週間前に」など）

「友達に試験を終えて晴れ晴れとしているR子が」
（人によっては、「友達に試験を終えて晴れ晴れとしている」など）

を1つのまとまりと捉えるということである。「隣家の」が独立の修飾語であることに気づかない。むしろ、「隣家の」は、「1週間前に台風が直撃した時に」のどれかの語に係っていると思ってしまう。たとえば、「隣家の1週間前に」どうかしたのかなどと思ってしまう。同様に、「友達に試験を終えて晴れ晴れとしているR子が」を1つのまとまりとしてしまい、「友達に」が独立の修飾語であることに気づかないのである。

このように、短い修飾語が先にあると、

［短い修飾語　長い修飾語］│［被修飾語］

と捉えてしまう。そして、短い修飾語を長い修飾語の一部と勘違いしてしまうわけである。

### 3.3.4　わかりにくい修飾関係：1つの語が複数の語を修飾してしまう

　最後は、被修飾語の候補が複数あり、ある語がどの語に係っているのかを判別できない例である。そのため、複数の解釈が可能になってしまう。

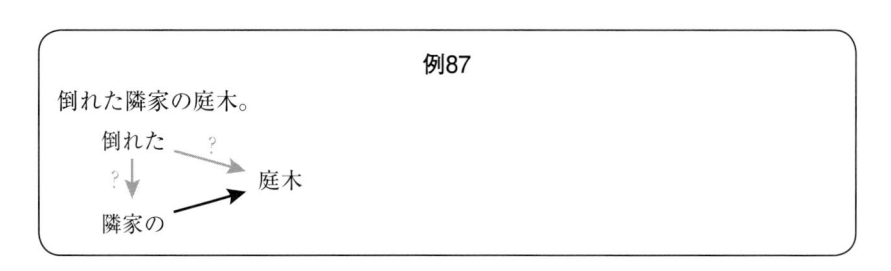

```
                        例87
倒れた隣家の庭木。
        倒れた
            ？↘
         ？↓     庭木
        隣家の  ↗
```

倒れたのは隣家なのか、それとも庭木なのか？　こうした混乱が起きるのは、「倒れた」が、「隣家の」と「庭木」の両方に係りうるためである。倒れたのは隣家の場合、「倒れた隣家の」が1つの修飾語であり、それが「庭木」に係る。倒れたのは庭木の場合、「倒れた」と「隣家の」という2つの修飾語が「庭木」に係る。この文からは、どちらの構造なのかがわからない。

　他の例も見てみよう。

```
                     例88
友達が涙を堪えて追試を受けるR子に刺身定食をおごった。
```

涙を堪えているのは、素うどんよりも高いものをおごらされた友達なのか？　それとも、試験が終わったと喜んでいたR子の方なのか？　友達の場合は、「友達が」「涙を堪えて」「追試を受けるR子に」「刺身定食を」という4つの修飾語が「おごった」に係っていることになる。

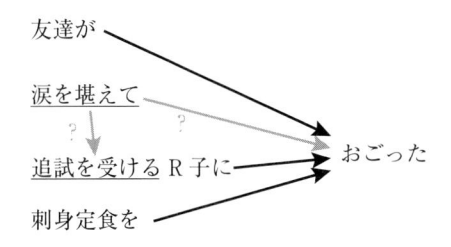

第3章 1つ1つの文をわかりやすくする技術

```
友達が ─────────────╲
涛を堪えて ─────────╲╲→ おごった
    ？ ↓ ？         ╱╱
追試を受けるR子に ──╱
刺身定食を ─────────
```

しかし、「涛を堪えて」が「追試を受ける」にも係りうる。そのため、「涛を堪えて追試を受けるR子に」とも取れてしまう。一方、R子が涛を堪えている場合は、「友達が」「涛を堪えて追試を受けるR子に」「刺身定食を」という3つの修飾語が「おごった」に係っていることになる。

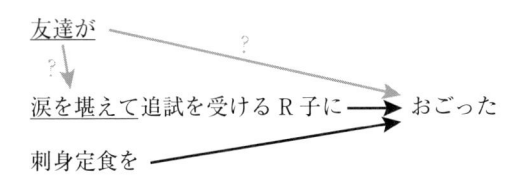

```
友達が ────────────────╲
   ？ ↓       ？        ╲
涛を堪えて追試を受けるR子に ──→ おごった
刺身定食を ────────────╱
```

しかし、「友達が」が、「涛を堪えて」に係っているようにも見えてしまう（ただし、実際に友達が堪えている場合、「友達が」は、「涛を堪えて」ではなく「おごった」に係っている；上記1つめの構造図参照）。そのため、「友達が涛を堪えている」とも取れてしまう。

## 3.4　語と語との修飾関係：明確にする技術

わかりにくい原因がわかったらその対策は簡単である。どの語がどの語を修飾するのかを明確にすればよいのだ。そのためには、

---

☐　語順を替える
☐　テンをうち、修飾語を明示する

のどちらかを行うことである。これにより、わかりにくい修飾関係は解消される。語順の替え方とテンのうち方の具体的な技術を**要点21−3**（p.215）にまとめた。以下で、それぞれについて説明していく。

### 3.4.1　長い修飾語を先に、短い修飾語を後に：修飾する語を見つけやすくする

　修飾関係を見つけやすくする１つの方法は、長い修飾語を先に、短い修飾語を後におくことである。修飾語が３つ以上ある場合は、長い順番に並べることである。こうすることで、短い修飾語が、長い修飾語の一部と勘違いされることがなくなる。

　たとえば例86（p.228）は、「試験を終えて晴れ晴れとしているＲ子が」という長い修飾語と、「友達に」「素うどんを」という短い修飾語とからなる。ならば、

---
例86（p.228）の改善案
試験を終えて晴れ晴れとしているＲ子が友達に素うどんをおごった。

---

とすればよい。この語順であれば、「友達に」を、「試験を終えて晴れ晴れとしているＲ子が」の一部と勘違いすることはありえない。そして、「友達に」「おごった」という修飾関係を見つけやすくなる。

　３つ以上の修飾語があり、それぞれの長さに違いがある場合も長い順に並べるようにしよう。たとえば、

> **例89**
>
> 試験を終えて晴れ晴れと
> しているR子が ─────────┐
> ネギもない素うどんを ──────→ おごった
> 友達に ────────────┘
>
> × 試験を終えて晴れ晴れとしているR子が友達にネギもない素うどんをおごった。
> ○ 試験を終えて晴れ晴れとしているR子がネギもない素うどんを友達におごった。
> ［ただし良い例も、「R子が」の後ろにテンを打つ方がわかりやすい（3.4.3項参照；p.236）］

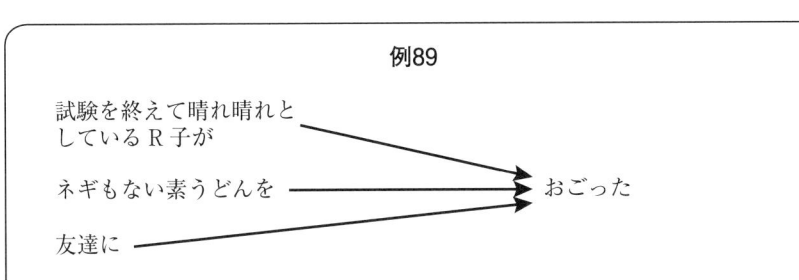

　この場合は、「ネギもない素うどんを」の方が「友達に」よりも長い。だから、「ネギもない素うどんを」「友達に」の方が読みやすい。悪い方の語順だと、「友達にネギもない素うどんを」あるいは「友達にネギもない」などと一まとめにしてしまい、ちょっと引っかかるであろう。

　ここで言う「修飾語の長さ」とは「音の長さ」のことである。つまり、ひらがなにしたときの長さのことだ。ただしこれはあくまでも目安である。黙読するときは、漢字の熟語を固まりとして理解してしまい、いちいち音に直さないからだ。音の長い順に修飾語を並べてみて、それで自然ならばそれでよしとすればよい。

　最後に注意点を述べておく。長い順に並べることよりも、語順の原則（3.2節参照；p.223）の方を優先すべきである。修飾語の順番を変えずに修飾関係を見つけやすくする方法があるからだ（次3.4.2項および3.4.5項参照；p.234, 240）。修飾語の並べ替えは、語順の原則を損なわない範囲で行うようにしよう。

**文例集**

　以下、語順変更の例をいくつかあげておく。

---

「私は」「中田の言うとおりだと」は、「思った」に係る独立の修飾語。
× 私は中田の言うとおりだと思った。←「私は中田の言うとおりだと」を一まとめにしてしまう。
○ 中田の言うとおりだと私は思った。

「やはり」は、「貫くべきだ」に係る独立の修飾語。
× やはりどんなに困難な道が待ちかまえていようと初志を貫くべきだ。
　←「やはりどんなに困難な道が待ちかまえていようと」を一まとめにしてしまう。
○ どんなに困難な道が待ちかまえていようとやはり初志を貫くべきだ。

「この」「今まで感じたことのない」「怪しげな」は、「空気」に係る独立の修飾語。
× この今まで感じたことのない怪しげな空気。←「この今まで感じたことのない」を一まとめにしてしまう。
× 怪しげな今まで感じたことのないこの空気。←「怪しげな今まで感じたことのない」を一まとめにしてしまう。
○ 今まで感じたことのない怪しげなこの空気。

---

### 3.4.2　短い修飾語を先にするとき、その後ろにテンをうつ：修飾する語を見つけやすくする

　短い修飾語を長い修飾語の前におくときは、その短い修飾語の後ろにテンをうつ。そうすれば、短い修飾語を先にしたまま、修飾関係を見つけやすくすることができる。これは、扱う話題を文頭で示すために短い修飾語を先におく場合に有効である。

　たとえば、例85, 86（p.227, 228）ではそれぞれ、「隣家の」「友達に」という短い修飾語が先にある。この場合、

第3章　1つ1つの文をわかりやすくする技術

> 例85（p.227）の改善案
> 隣家の、一週間前に台風が直撃した時に倒れた庭木。
>
> 例86（p.228）の改善案
> 友達に、試験を終えて晴れ晴れとしているR子が素うどんをおごった。

とテンをうてばよい。これで、「隣家の」「友達に」が独立の修飾語であることが明確になる。

　文の途中に短い修飾語を挟みたい場合も、その短い修飾語の後ろにテンをうつことで誤解を解消できる。

> 例89の悪い方の例（p.233）の改善案
> 試験を終えて晴れ晴れとしているR子が友達に、ネギもない素うどんをおごった。
> ［ただし、「R子が」の後にもテンをうつ方がわかりやすい（3.4.3項参照；p.236）］

これで、「友達にネギもない素うどんを」と一まとめにしてしまうことがなくなる。

### 文例集

　以下、テンをうつ例をいくつかあげておく。

> 「私は」は、「思った」に係る独立の修飾語。
> ×　私は中田の言うとおりだと思った。←「私は中田の言うとおりだと」を一まとめにしてしまう。
> ○　私は、中田の言うとおりだと思った。

「やはり」は、「貫くべきだ」に係る独立の修飾語。
× やはりどんなに困難な道が待ちかまえていようと初志を貫くべきだ。
　←「やはりどんなに困難な道が待ちかまえていようと」を一まとめにしてしまう。
○ やはり、どんなに困難な道が待ちかまえていようと初志を貫くべきだ。

「この」「怪しげな」は、「空気」に係る独立の修飾語。
× この今まで感じたことのない怪しげな空気。←「この今まで感じたことのない」を一まとめにしてしまう。
○ この、今まで感じたことのない怪しげな空気。
× 怪しげな今まで感じたことのないこの空気。←「怪しげな今まで感じたことのない」を一まとめにしてしまう。
○ 怪しげな、今まで感じたことのないこの空気。

## 3.4.3　長い修飾語の後に長めに文が続くとき、その長い修飾語の後にテンをうつ：修飾する語を見つけやすくする

　長い修飾語の後に長めに文が続くときは、その長い修飾語の後ろにテンをうつ。テンがないと、修飾語のまとまりを見つけにくいからである。

　例で見てみよう。

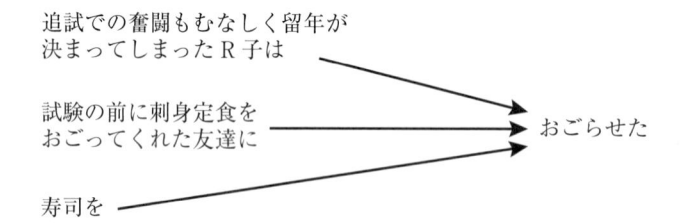

追試での奮闘もむなしく留年が決まってしまったR子は　→　おごらせた
試験の前に刺身定食をおごってくれた友達に　→
寿司を　→

「長い修飾語を先に」の原則で、この文を以下のように書くとどうなるか。

---
**例90**

追試での奮闘もむなしく留年が決まってしまったR子は試験の前に刺身定食をおごってくれた友達に寿司をおごらせた。

---

「追試での奮闘もむなしく留年が決まってしまったR子は」が1つのまとまりであることがわかりにくいであろう。「……R子は試験の前に」あたりまでを含めるのかなどと迷ってしまうためだ。

この戸惑いをなくすためには、「……R子は」の後にテンをうつことである。

> **例90の改善案**
> 追試での奮闘もむなしく留年が決まってしまったR子は、試験の前に刺身定食をおごってくれた友達に寿司をおごらせた。

これならば読者は、「追試での奮闘もむなしく留年が決まってしまったR子は」が1つのまとまりであると明確に理解できる。テンをうつとは、「そこまでで1つのまとまり」と読者に教えることである。それにより、読解の負担が軽減される。

一方、後に続く語が短いならばテンは不要である。

> **例91**
> × 追試での奮闘もむなしく留年が決まってしまったR子は、回転寿司に行った。
> ○ 追試での奮闘もむなしく留年が決まってしまったR子は回転寿司に行った。

この場合はテンがなくても、「追試での奮闘もむなしく留年が決まってしまったR子は」が1つのまとまりであると理解できる。後に続く部分「回転寿司に行った」が、構造が単純で短いからだ。そのため、「回転寿司に」が「行った」に係っている独立の修飾語と瞬時に理解できるのだ。

## 文例集

以下、テンをうつ例をいくつかあげておく。

---

「これまでの状況を慎重に分析すれば」は、「わかる」に係る独立の修飾語。
× これまでの状況を慎重に分析すれば悲惨な結果を迎えるとわかる。
○ これまでの状況を慎重に分析すれば、悲惨な結果を迎えるとわかる。
× これまでの状況を慎重に分析すれば、結果はわかる。
○ これまでの状況を慎重に分析すれば結果はわかる。

「長いあいだ苦労して書き上げたレポートが」は、「輝いた」に係る独立の修飾語。
× 長いあいだ苦労して書き上げたレポートが学内で最も権威のある賞に輝いた。
○ 長いあいだ苦労して書き上げたレポートが、学内で最も権威のある賞に輝いた。
× 長いあいだ苦労して書き上げたレポートが、賞に輝いた。
○ 長いあいだ苦労して書き上げたレポートが賞に輝いた。

「紅葉に染まった山の中を散策していたら」は、「会った」に係る独立の修飾語。
○ 紅葉に染まった山の中を散策していたら犬に会った。
× 紅葉に染まった山の中を散策していたら、犬に会った。
× 紅葉に染まった山の中を散策していたらキャバリアキングチャールズスパニエルに会った。
○ 紅葉に染まった山の中を散策していたら、キャバリアキングチャールズスパニエルに会った。
※キャバリアキングチャールズスパニエルは犬の品種

---

### 3.4.4 意図せぬ修飾関係を生まないように配置：複数の語を修飾しないようにする

1つの語が複数の語を修飾してしまう場合の解決方法の1つが、語順を変えることである。語順に問題があるため、意図せぬ修飾関係が生まれ

ているのだ。日本語では、後ろの語は前の語を修飾しない。この特性を利用すれば、意図せぬ修飾関係を消し去ることができる。だから、語順の原則（3.2節参照；p.223）を損なわない範囲で語順を変えてみるとよい。

たとえば「倒れた隣家の庭木」（例87；p.230）では、「倒れた」が、「隣家の」と「庭木」の両方に係りうる。そのため、隣家と庭木のどちらが倒れているのかわからない。庭木が倒れているのなら以下の語順にすればよい。

> **例87（p.230）の改善案** 庭木が倒れている場合
> 隣家の倒れた庭木。

「隣家の」の後ろにある「倒れた」が、「隣家の」を修飾することはない。だから、「倒れた」は「庭木」にしか係らず、意味が1つに決まる［倒れたのが隣家である場合の直し方は、3.4.5項（p.240）を参照］。

例88（p.230）も同様である。友達が涙を堪えているのなら以下の語順にすればよい。

> **例88（p.230）の改善案** 友達が涙を堪えている場合
> 追試を受けるR子に友達が涙を堪えて刺身定食をおごった。

「涙を堪えて」が「追試を受ける」に係ることはなく、友達が涙を堪えていることが明確になる［R子が涙を堪えている場合の直し方は、3.4.5項（p.240）を参照］。

文例集

以下、語順変更の例をいくつかあげておく。下記の例の内のいくつかは、「長い修飾語を先に」の原則（3.4.1項参照；p.232）からも語順変更すべ

きものである。しかし、修飾語の長さがほぼ同じであっても語順変更すべき例もあげてある。

---

「レポートを書く若者に」「少しでも」は、「役立つように」に係る独立の修飾語。
× 少しでもレポートを書く若者に役立つように。←「少しでもレポートを書く」と取られる。
○ レポートを書く若者に少しでも役立つように。

「得られたデータを」「ソフトを使って」は、「解析した」に係る独立の修飾語。
× ソフトを使って得られたデータを解析した。←「ソフトを使って得られたデータ」と取られる。
○ 得られたデータをソフトを使って解析した。

「放り投げていたレポートを」「いつでも相談に乗ってくれる友人に」は、「見せた」に係る独立の修飾語。
× いつでも相談に乗ってくれる友人に放り投げていたレポートを見せた。←「友人に放り投げていた」と取られる。
○ 放り投げていたレポートをいつでも相談に乗ってくれる友人に見せた。←ただし、「放り投げていたレポートを、いつでも相談に乗ってくれる友人に見せた」の方がわかりやすい。

---

### 3.4.5 修飾関係を断ち切りたいとき、そこにテンをうつ：複数の語を修飾しないようにする

1つの語が複数の語を修飾してしまう場合の解決方法がもう1つある。語と語の間にテンをうつことである。これにより、両者の修飾関係を断ち切ることができる。

「倒れた隣家の庭木」（例87；p.230）が、「倒れた隣家」であって「倒れた庭木」ではないとする。この場合は、「倒れた隣家の庭木」という語順にするしかない。「倒れた隣家の」が一まとまりの修飾語であり、それ

が「庭木」に係っているからだ。しかしこれでは、「庭木が倒れた」とも受け取れてしまう。この場合は、「隣家の」と「庭木」の間にテンを打って、「倒れた隣家の」が1つのまとまりであることを明示すればよい。

> **例87（p.230）の改善案** 隣家が倒れている場合
> 倒れた隣家の、庭木。

「倒れた」と「庭木」の修飾関係が断ち切られ、隣家が倒れたことが明確となる。なお、「隣家の」は「庭木」にしか係りえないので、このテンによって両者の修飾関係が断ち切られることはない。一方、「倒れた庭木」であって「倒れた隣家」ではない場合は、以下のようにテンをうてばよい。

> **例87（p.230）の改善案** 庭木が倒れている場合
> 倒れた、隣家の庭木。

このテンにより、「倒れた」と「隣家の」の修飾関係が断ち切られ、庭木が倒れたことが明確となる。「隣家の倒れた庭木」（p.239）のような語順にしたくない場合に用いるとよい。

　同様に例88（p.230）も、テンをうつことで、誰が涙を堪えているのかを明確にすることができる。友達が涙を堪えている場合は、以下のようにテンをうてばよい。

> **例88（p.230）の改善案** 友達が涙を堪えている場合
> 友達が涙を堪えて、追試を受けるR子に刺身定食をおごった。

このテンにより、「涙を堪えて」「追試を受ける」の修飾関係が断ち切られ

る。そして、「友達が涙を堪えて」であることが明確になる。一方、R子が涙を堪えている場合は、以下のようにテンをうてばよい。

---

**例88（p.230）の改善案** ｜ R子が涙を堪えている場合
友達が、涙を堪えて追試を受けるR子に刺身定食をおごった。

---

このテンにより、「友達が」「涙を堪えて」の修飾関係が断ち切られる。そして、「涙を堪えて追試を受けるR子」であることが明確になる。

### 文例集

　以下、テンをうつ例をいくつかあげておく。下記の例の内のいくつかは、「短い修飾語を先にするときにテンをうつ」の原則（3.4.2項；p.234）からもテンをうつべきものである。しかし、長い修飾語が先にあってもテンをうつべき例もあげてある。

---

「レポートを書く若者に」「少しでも」は、「役立つように」に係る独立の修飾語。
× 少しでもレポートを書く若者に役立つように。←「少しでもレポートを書く」と取られる。
○ 少しでも、レポートを書く若者に役立つように。

「得られたデータを」「ソフトを使って」は、「解析した」に係る独立の修飾語。
× ソフトを使って得られたデータを解析した。←「ソフトを使って得られたデータ」と取られる。
○ ソフトを使って、得られたデータを解析した。

「放り投げていたレポートを」「いつでも相談に乗ってくれる友人に」は、「見せた」に係る独立の修飾語。

> × いつでも相談に乗ってくれる友人に放り投げていたレポートを見せた。
> 　←「友人に放り投げていた」と取られる。
> ○ いつでも相談に乗ってくれる友人に、放り投げていたレポートを見せた。

## 3.5　漢字とカナの混じり具合

　最後に、漢字とカナの混じり具合について述べる。以下では、『日本語の作文技術』の指摘をほぼそのまま紹介している。詳しくは同書を参照して欲しい。
　漢字とカナをうまく混ぜて、視覚的に読みやすい文にするようにしよう。たとえば、以下の文を読んでみて欲しい。

> 例92
> 憲法を改正すべきかいなかをいまから議論しよう。

「すべきかいなかをいまから」のところの言葉のまとまりを捉えにくく、読みにくさを感じるであろう。以下のように漢字を混ぜれば、この読みにくさは解消される。

> 例92の改善案
> 憲法を改正すべきか否かを今から議論しよう。

「否か」「今から」と漢字を混ぜることで、言葉のまとまりを捉えやすくなるからである。
　今度は漢字ばかりの例である。

> **例93**
> 憲法改正可否を今日早速議論したい。

これもやはり読みにくさを感じる。「憲法改正可否」と「今日早速議論」のところで、言葉のまとまりを捉えにくいのだ。今度は、以下のように平仮名を混ぜれば良い。

> **例93の改善案**
> 憲法改正の可否を今日さっそく議論したい。

これだけでも、ぐっと読みやすくなる。

このように、漢字とカナを混ぜることには、言葉のまとまりを捉えやすくする効果がある。視覚的な捉えやすさも考慮して文を書くようにしよう。そのためには、表記の統一にあまりに囚われ過ぎないことである。ある文では「早速」と書き、別の文では「さっそく」と書いても構わない。ただし、通常は漢字でしか書かない言葉をカナにすることは避けるべきである。「憲法かいせい可否」などと書く方がわかりにくいからだ。カナを混ぜて言葉を分割する（「憲法改正の可否」というように）などの工夫も必要である。

# 引用文献・参考文献

藤沢　晃治（1999）「分かりやすい表現」の技術：意図を正しく伝えるための16のルール　講談社

本多　勝一（1982）日本語の作文技術　朝日文庫

伊藤　進（1994）ハートギャラリー：はじめての認知心理学　川島書店

倉島　保美（1999）書く技術・伝える技術　あさ出版

佐伯　胖　編（1982）認知心理学講座3：推論と理解　東京大学出版会

酒井　聡樹（2015）これから論文を書く若者のために：究極の大改訂版　共立出版

高野　陽太郎　編（1995）認知心理学2：記憶　東京大学出版会

## これからレポート・卒論を書く若者のために　第2版

| 著者紹介 | |
|---|---|
| **酒井聡樹**（さかい さとき） | |
| 1960年10月25日生まれ | |
| 1989年3月 | 東京大学大学院理学系研究科植物学専門課程博士課程修了 |
| 現　　在 | 東北大学大学院生命科学研究科・准教授・理学博士 |
| 専門分野 | 進化生態学 |
| 主要著書 | 「これから論文を書く若者のために：究極の大改訂版」，「これから研究を始める高校生と指導教員のために：研究の進め方・論文の書き方・口頭とポスター発表の仕方」，「100ページの文章術：わかりやすい文章の書き方のすべてがここに」，「これから学会発表する若者のために：ポスターと口頭のプレゼン技術」，（以上，著；共立出版），「生き物の進化ゲーム―進化生態学最前線：生物の不思議を解く―大改訂版」（髙田壮則，東樹宏和と共著；共立出版），「植物のかたち：その適応的意義を探る」（著；京都大学学術出版会），「数理生態学」（共著；巌佐 庸 編，共立出版）など |
| 願　　い | サッカーが文化として日本に根づくこと，ベガルタ仙台が，世界に名だたるクラブとなること，日本代表がワールドカップで優勝すること． |

［URL］http://www7b.biglobe.ne.jp/~satoki/ronbun/ronbun.html

NDC　816.5, 801.6, 002.7, 507.7　　　　　　　　　　　　　検印廃止　Ⓒ2017

2007年5月15日　初版1刷発行
2017年4月1日　初版19刷発行
2017年7月15日　第2版1刷発行
2024年5月10日　第2版7刷発行

著　　者　酒井聡樹
発行者　　南條光章
発行所　　共立出版株式会社
　　　　　［URL］　www.kyoritsu-pub.co.jp
　　　　　〒112-0006 東京都文京区小日向4-6-19　電話 03-3947-2511（代表）
　　　　　FAX 03-3947-2539（販売）　FAX 03-3944-8182（編集）
　　　　　振替口座　00110-2-57395

印刷・製本　藤原印刷　　　　　　　　　　　　　　　　　printed in Japan

ISBN 978-4-320-00598-3

一般社団法人　自然科学書協会　会員